Mon école, mon projet, notre réussite !

Comment réaliser le projet éducatif, le plan de réussite et la reddition de comptes ?

 **Collection** *Parcours pédagogiques*

La collection **Parcours pédagogiques** réunit des publications destinées à accompagner et à appuyer les enseignants et tous les intervenants en éducation dans leur pratique quotidienne.

Classe active, élèves motivés !
Gérer sa classe par ateliers
en intégrant les TIC
Suzanne Harvey

CLÉ@TIC
Guide pratique et activités éducatives
Denis Guérard et François Guérard

Découvrir et exploiter
les livres jeunesse en classe
Répertoire thématique
et domaines généraux de formation
Sylvie Viola et Sandra Desgagné

L'éducation relative à l'environnement
École et communauté :
une dynamique constructive
Lucie Sauvé, Isabel Orellana,
Sarah Qualman et Sonia Dubé
Préface de Pierre Dansereau

L'Espace en projets
Pistes d'exploration
et situations d'apprentissage
Johanne Patry

Guide de planification pédagogique
Marie-Josée Langlois

Harmoniser TIC
et approches pédagogiques
Démarches et projets intégrateurs
pour favoriser la réussite
Danielle De Champlain
et Gaétane Grossinger Divay

Intégrer les ateliers d'apprentissage
dans ma classe
Ginette Lemay Bourassa

Mon école, mon projet,
notre réussite ! Tome I
Comment réaliser l'analyse
de la situation ?
Nicole Tardif, Louise Royal,
Louise L. Lafontaine
et Louise Simon

Le Roman jeunesse
au cœur de l'apprentissage
Charlotte Guérette et Sylvie Roberge

Stratégies et Compétences
Intervenir pour mieux agir
Martine Peters et Sylvie Viola

Vivre le conte dans sa classe
Pistes de découvertes
et exploitations pédagogiques
Charlotte Guérette
et Sylvie Roberge

Nicole Tardif, Danielle Larivière
et Michel Boyer

Mon école, mon projet, notre réussite !

Comment réaliser le projet éducatif, le plan de réussite et la reddition de comptes ?

HURTUBISE

HMH

Catalogage avant publication de la Bibliothèque nationale du Canada

Tardif, Nicole

Mon école, mon projet, notre réussite !

(Parcours pédagogiques)
Doit être acc. d'un disque optique d'ordinateur.
Comprend des réf. bibliogr.
Sommaire: t. 1. Comment réaliser l'analyse de la situation − 2. Comment réaliser le projet éducatif, le plan de réussite et la reddition des comptes.

ISBN 2-89428-220-6 (v. 1)
ISBN 2-89428-705-4 (v. 2)

1. Projet éducatif. 2. Éducation - Planification. 3. Évaluation en éducation. 4. Succès scolaire.
5. Éducation - Finalités. 6. Projet éducatif - Québec (Province) I. Tardif, Nicole. II. Collection

LC71.2.M65 2003   371.2'07   C2003-941802-2

Édition et direction de la collection : Suzanne Bélanger
Révision linguistique et correction d'épreuves : Corinne de Vailly et Nathalie Savaria
Illustrations à l'intérieur de l'ouvrage et sur la couverture : Marc Mongeau
Conception et réalisation de la maquette intérieure : Christian Campana
Conception et réalisation de la couverture : Christian Campana

Éditions Hurtubise HMH ltée
1815, avenue De Lorimier, Montréal (Québec) CANADA H2K 3W6
Téléphone : (514) 523-1523 • Télécopieur : (514) 523-9969

Distribution Canada : Hurtubise HMH   http://www.hurtubisehmh.com
Distribution France : Librairie du Québec à Paris   liquebec@noos.fr

Dans cet ouvrage, le masculin est utilisé sans aucune discrimination et dans le seul but d'alléger le texte.

Les Éditions Hurtubise HMH bénéficient du soutien des institutions suivantes pour leurs activités d'édition : gouvernement du Canada par l'entremise du Programme d'aide au développement de l'industrie de l'édition (PADIÉ) et Programme de crédit d'impôt pour l'édition de livres du gouvernement du Québec.

ISBN 2-89428-705-4
Dépôt légal – 4e trimestre 2004
Bibliothèque nationale du Québec
Bibliothèque nationale du Canada

Imprimé au Canada

Table des matières

Préambule

À l'automne 2003, le premier ouvrage intitulé *Mon école, mon projet, notre réussite! Comment réaliser l'analyse de la situation* est rendu disponible pour les directions des établissements scolaires.

À l'automne 2004, le deuxième ouvrage intitulé *Mon école, mon projet, notre réussite! Comment réaliser le projet éducatif, le plan de réussite et la reddition de comptes* présente une séquence type dans laquelle les étapes d'élaboration du projet éducatif, du plan de réussite et de la reddition de comptes se succèdent les unes à la suite des autres.

Nous avons opté pour cette logique et cette présentation séquentielle afin de proposer un modèle de référence.

Le présent ouvrage est au service :
- des directions d'établissement qui y verront une démarche complète d'organisation du travail au regard de la trilogie « projet éducatif – plan de réussite – reddition de comptes » dans une optique de gestion par résultats ;
- des membres du conseil d'établissement qui y découvriront une information éclairante compte tenu de leurs nouvelles responsabilités ;
- de l'équipe-école qui prendra connaissance des différentes séquences : projet éducatif, plan de réussite, suivi du plan de réussite, évaluation formelle des objectifs, reddition de comptes, rapport annuel, plan de communication ;
- des partenaires de la communauté éducative qui s'approprieront progressivement le langage et la démarche relatifs à la réussite des élèves.

Au fil des pages, le lecteur trouvera des tableaux de bord, qui sont en quelque sorte une « façon de sélectionner, d'agencer et de présenter les indicateurs essentiels et pertinents, de façon ciblée[1] », en un « coup d'œil ». Ces tableaux sont aussi offerts en fichier électronique sur le cédérom fourni avec cet ouvrage. Comme ils ont été conçus avec l'application Word, ils peuvent être utilisés sur les plate-formes PC et MAC. Pour en faciliter l'usage, des modifications peuvent être apportées par les utilisateurs.

Cet ouvrage pratique vise donc à accompagner tous les intervenants en éducation dans leurs démarches et à être au service de la réussite du plus grand nombre d'élèves.

Avertissement

La démarche proposée dans cet ouvrage s'adresse tout autant aux écoles qu'aux centres de formation professionnelle et aux centres d'éducation des adultes. L'appellation « projet éducatif » concerne les écoles alors que les centres emploient plutôt le terme « orientations ». Dans certaines parties de l'ouvrage, l'utilisation seule de « projet éducatif » désignera tout autant les écoles que les centres. De plus, l'expression « équipe-école » sera utilisée pour désigner le personnel des écoles et des centres.

La dimension légale de la Loi sur l'instruction publique (L.I.P.) concernant les établissements d'enseignement est située en Annexe A. Les articles portant sur l'école se trouvent au chapitre 3 et ceux sur les centres, au chapitre 4.

Introduction

Depuis que la Loi sur l'instruction publique a été modifiée en décembre 2002, le projet éducatif s'inscrit dans une approche de gestion par résultats ; il s'articule autour d'énoncés de résultats mesurables à atteindre. Les objectifs du projet éducatif font l'objet d'une reddition de comptes à l'aide d'indicateurs préétablis ; la reddition de comptes est rendue publique dans un rapport annuel.

Le plan de réussite, quant à lui, est de l'ordre des moyens mettant en œuvre le projet éducatif, et les orientations pour les centres, ainsi que les modalités d'encadrement des élèves. Il prend en compte le plan d'action, les mesures, les moyens, les ressources humaines, matérielles et financières qui contribuent à l'atteinte des résultats visés. Un suivi continu est intégré dans la gestion quotidienne du plan de réussite ; il permet de soutenir les intervenants, d'adapter les mesures jugées inadéquates et de poursuivre la démarche.

C'est dans le cadre du principe de transparence et d'imputabilité que l'établissement d'enseignement fournissant des services éducatifs aux élèves doit faire une déclaration de ses objectifs quant au degré et à la qualité de ses services visant la réussite du plus grand nombre d'élèves.

Par cet ouvrage, nous souhaitons vous accompagner dans l'élaboration du projet éducatif, dans la mise en œuvre du plan de réussite, et dans l'évaluation des objectifs aux fins de la reddition de comptes présentée au moyen d'un rapport annuel.

Le premier chapitre présente le plan d'ensemble de la démarche. Le chapitre 2 dresse l'évolution du projet éducatif. Le chapitre 3 indique comment passer de l'analyse de la situation aux priorités stratégiques. Le chapitre 4 définit le projet éducatif dans une optique de gestion par résultats. Le chapitre 5 traite de la mise en œuvre du plan de réussite. Le chapitre 6 précise ce qu'est l'évaluation formelle du plan de réussite et du projet éducatif. Le chapitre 7 situe la reddition de comptes, le rapport annuel et son plan de communication.

Tout au long de l'ouvrage, vous trouverez des tableaux de bord qui vous permettront de saisir l'information et de la conserver pour les étapes ultérieures.

Pour faciliter votre travail, les tableaux de bord se trouvent sur un cédérom. Vous pourrez ainsi les reproduire et les modifier à volonté.

Les auteurs,

Nicole Tardif,
Danielle Larivière,
Michel Boyer.

Bonne lecture !

Chapitre 1

Plan d'ensemble
et aspects légaux

Une gestion axée sur les résultats

Dès le début des années 1980, l'école québécoise a fait face à de nombreux changements. La gestion scolaire a subi une remise en question, tant de la part de la société en général que de l'organisation elle-même. Le temps est venu de mieux gérer la performance du projet éducatif.

Pour administrer plus efficacement les services publics, les gouvernements occidentaux ont eu recours à une démarche de responsabilisation dont l'un des objectifs est de favoriser la gestion par résultats.

Il s'agit d'une approche de gestion fondée sur des résultats mesurables qui satisfont des objectifs et des cibles prédéfinis en fonction des services à fournir. Cette approche doit donc être intégrée aux phases du cycle de gestion. Elle s'inscrit dans un contexte de transparence, de responsabilisation et de flexibilité quant aux moyens utilisés pour atteindre les résultats visés.

Les incidences en éducation

En mars 2000, le ministère de l'Éducation déposait son plan stratégique 2000-2003 ; l'une des orientations visait à mettre en place, dans le réseau scolaire, une gestion axée sur les résultats. Cet objectif est reconduit trois ans plus tard dans le plan stratégique 2003-2006 du ministère de l'Éducation. C'est ainsi que, pour juin 2003, chaque commission scolaire a dû élaborer un plan stratégique et chaque établissement, un nouveau plan de réussite. Dans le même sens, le projet de loi 124, sanctionné en décembre 2002, modifie la Loi sur l'instruction publique en appliquant les principes de la gestion axée sur les résultats énoncés dans le projet de loi 82.

L'approche des échéances accroît la pression sur les acteurs interpellés par cette vaste opération qui vise à la fois la réalisation de la mission éducative, la réussite du plus grand nombre d'élèves et l'amélioration du système d'éducation au Québec. Les mots « plan stratégique », « indicateur » et « reddition de comptes » alimentent, plus que jamais, les discussions, les passions, les réactions et les résistances.

Le présent chapitre présente une vue d'ensemble du contenu et des étapes à réaliser afin de permettre d'établir des liens entre les choix qui teintent dorénavant l'administration des services publics et les attentes vis-à-vis de l'établissement scolaire.

Le premier tome de *Mon école, mon projet, notre réussite* a été consacré à l'analyse de la situation. Le deuxième tome détaille en profondeur le pourquoi et le comment du projet éducatif, du plan de réussite et de la reddition de comptes. Il importe de donner un aperçu clair de l'ensemble du processus qui concerne l'établissement scolaire. Ainsi, après avoir situé le contexte, nous présentons, à la suite de l'analyse de la situation, les étapes en lien avec le projet éducatif, le plan de réussite et la reddition de comptes du point de vue de l'établissement scolaire.

Pourquoi un tel changement ?

Actuellement au Québec, la Loi sur l'administration publique (le projet de loi 82) (L.Q. 2002, c. 8) instaure un nouveau cadre de gestion axée sur l'atteinte des résultats, sur le respect du principe de la transparence et sur une imputabilité accrue de l'administration, et ce, en vue d'affirmer la priorité accordée à la qualité des services aux citoyens. Ce type de gestion met l'accent sur la performance des ministères et organismes quant à l'atteinte des résultats, en fonction d'objectifs préétablis, rendus publics et mesurés par divers indicateurs. C'est ainsi que les ministères et organismes qui fournissent des services aux citoyens doivent déclarer leurs objectifs concernant le degré et la qualité de ces services. Chacun d'eux doit aussi rendre compte des résultats atteints, notamment par la présentation d'un rapport annuel.

Les plans stratégiques des commissions scolaires et les plans de réussite des établissements scolaires, apparus respectivement en 2003 et en 2000, sont le prolongement, dans le réseau scolaire, de cette démarche qui consiste à implanter un processus de gestion par résultats, fondé sur les dispositions de la Loi sur l'instruction publique, portant sur la reddition de comptes.

Le conseil d'établissement effectue une analyse de la situation de son établissement d'enseignement, étape préalable au projet éducatif et au plan de réussite. L'établissement peut ainsi accomplir sa mission d'instruire, de socialiser et de qualifier les élèves dans le cadre du projet éducatif des écoles primaires et secondaires (ou des orientations des centres) élaboré et adopté par son conseil d'établissement.

Pour comprendre les impératifs de ce changement, l'établissement scolaire devra accéder à une culture dont les assises s'inspirent de la philosophie du « faire ensemble ». Cette gestion associative à caractère participatif impose une redéfinition des rôles, des statuts, des attitudes et des méthodes de travail.

Un modèle intégrateur du processus de gestion de la mission éducative

Notre représentation du processus de gestion de la mission éducative dans un modèle qui regroupe ses principales composantes s'illustre ainsi : nous y retrouvons le projet de loi 82 sur l'administration publique qui exerce son influence sur tous les ministères dont celui de l'Éducation. Vient ensuite *le projet éducatif national* visant la réussite du plus grand nombre de jeunes Québécois. Il comprend les grands encadrements, tels que la Loi sur l'instruction publique, les régimes pédagogiques, les programmes de formation ainsi que les politiques et les règlements mis en place pour concourir à la mission d'instruire, de socialiser et de qualifier la clientèle scolaire. Suivent *les plans stratégiques des commissions scolaires* qui devront établir le contexte dans lequel elles évoluent ; les principaux enjeux auxquels elles font face ; les indicateurs nationaux qui les concernent ; les orientations stratégiques, les objectifs et les axes d'intervention qu'elles retiennent ; les résultats qu'elles visent ainsi que les mesures qui serviront à leur évaluation.

Les établissements scolaires, pour leur part, et à la suite d'une analyse rigoureuse de leur situation, établissent les priorités stratégiques sur lesquelles ils doivent intervenir pour améliorer la réussite de leurs élèves. Ils en dégagent des orientations et des objectifs pour guider leurs interventions ; il s'agit du projet éducatif. Des plans de réussite sont ensuite élaborés, puis réalisés et évalués. L'ensemble du personnel enseignant doit s'investir dans ces plans puisque c'est là, principalement, que l'action pédagogique se déploie.

Dans ce cadre, la responsabilisation et l'imputabilité s'installent à tous les paliers du système d'éducation. L'obligation de rendre compte des résultats obtenus, en fonction d'objectifs préétablis, rendus publics et mesurés par divers indicateurs, est présente pour tous. Cette nouvelle approche contribuera-t-elle à l'amélioration continue du système éducatif en vue d'assurer la réussite du plus grand nombre ? La structure, quelle qu'elle soit, demeure toujours au service des individus qui l'habitent et l'animent. Le succès collectif repose d'abord sur l'engagement réel de chaque personne et dépend de son apport dans la réalisation de la mission éducative commune. À l'instar des autres services publics, l'établissement scolaire pourrait constituer un cadre de gestion intégrateur favorisant la performance éducative, et ce, grâce aux équipes-écoles.

Présentation des étapes du processus de gestion

Les étapes du plan stratégique du ministère de l'Éducation, de celui des commissions scolaires et du plan de réussite des établissements sont les mêmes. Toutefois, les contenus sont propres à chaque niveau. Ces étapes s'insèrent dans un processus dynamique et assurent une cohérence dans l'élaboration des plans stratégiques et des plans de réussite. Ces étapes sont définies brièvement dans la figure 1 à la page suivante.

Dynamique du processus de gestion

L'ensemble du processus de gestion comporte quatre étapes, à la fois distinctes et interreliées, telles qu'elles sont présentées dans la figure 1 :
- l'analyse de la situation ;
- le projet éducatif ;
- le plan de réussite ;
- l'évaluation et la reddition de comptes.

Figure 1: Le plan stratégique et les étapes du processus de gestion de la mission éducative

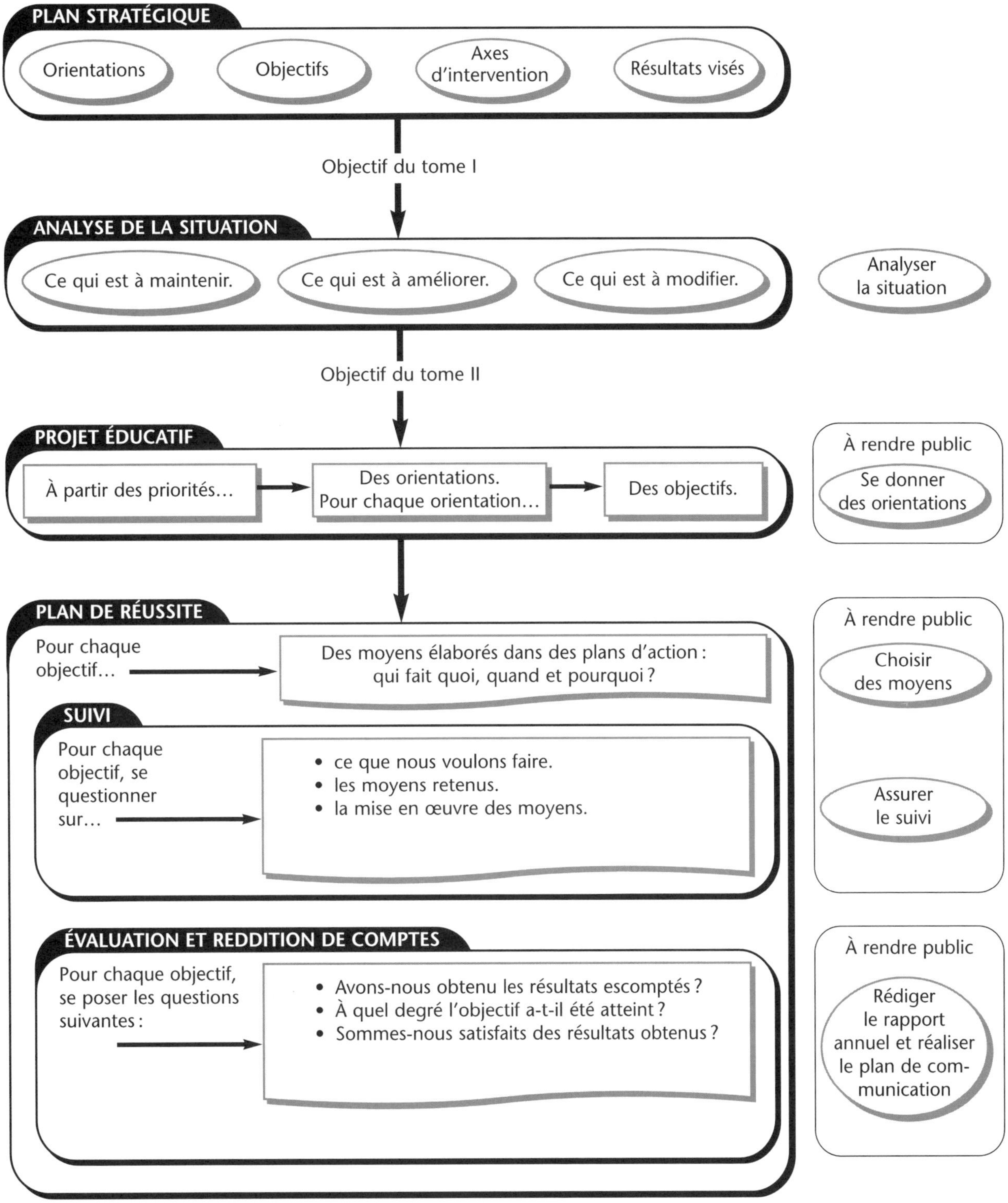

PLAN STRATÉGIQUE

Orientations   Objectifs   Axes d'intervention   Résultats visés

Objectif du tome I

ANALYSE DE LA SITUATION

Ce qui est à maintenir.   Ce qui est à améliorer.   Ce qui est à modifier.

Analyser la situation

Objectif du tome II

PROJET ÉDUCATIF

À partir des priorités… → Des orientations. Pour chaque orientation… → Des objectifs.

À rendre public

Se donner des orientations

PLAN DE RÉUSSITE

Pour chaque objectif… → Des moyens élaborés dans des plans d'action : qui fait quoi, quand et pourquoi ?

À rendre public

Choisir des moyens

SUIVI

Pour chaque objectif, se questionner sur… →
- ce que nous voulons faire.
- les moyens retenus.
- la mise en œuvre des moyens.

Assurer le suivi

ÉVALUATION ET REDDITION DE COMPTES

Pour chaque objectif, se poser les questions suivantes : →
- Avons-nous obtenu les résultats escomptés ?
- À quel degré l'objectif a-t-il été atteint ?
- Sommes-nous satisfaits des résultats obtenus ?

À rendre public

Rédiger le rapport annuel et réaliser le plan de communication

15

L'analyse de la situation

L'analyse de la situation (se référer au tome I de *Mon école, mon projet, notre réussite*) est une étape essentielle dans l'élaboration du projet éducatif et du plan de réussite qui en découle.

En fait, l'article 74 de la Loi sur l'instruction publique (amendée en décembre 2002) confère au conseil d'établissement la responsabilité de l'analyse de la situation de l'école. L'analyse de la situation permet de dégager les forces, les faiblesses et les préoccupations de l'établissement. De ce constat seront déterminées des priorités stratégiques. Cette analyse est présentée comme une opération préliminaire ou une étape préalable à l'adoption du projet éducatif et à l'élaboration du plan de réussite.

Le projet éducatif

À partir des priorités stratégiques définies à l'étape de l'analyse de la situation, le projet éducatif contient les orientations et les objectifs propres à l'école.

Compte tenu de la mission de l'école et des conditions dans lesquelles elle doit être remplie selon les termes de la Loi sur l'instruction publique, la marge de manœuvre laissée aux établissements scolaires en matière d'orientations et d'objectifs est clairement définie. En fait, les orientations et les objectifs qui peuvent distinguer ou particulariser les établissements scolaires ne doivent pas déborder du cadre fixé par l'État.

La Loi sur l'instruction publique précise que le projet éducatif (art. 36) est mis en œuvre par le plan de réussite [...]. La commission scolaire en favorise la mise en œuvre dans chaque école par le plan de réussite (art. 218).

Le projet éducatif de l'école constitue donc les bases et les paramètres de ce que les parents, les élèves, les enseignants, la direction de l'établissement, bref la communauté éducative, considèrent être essentiel pour le développement de l'établissement scolaire.

Le plan de réussite

La Loi sur l'instruction publique précise que le plan de réussite consiste en la mise en œuvre du projet éducatif. Le plan de réussite contient donc les moyens et les modes d'évaluation de sa réalisation.

Si le projet éducatif est l'œuvre du conseil d'établissement, le plan de réussite est réalisé à l'initiative de la direction et de l'équipe-école, pour être ensuite approuvé par le conseil d'établissement.

L'équipe-école prépare le plan de réussite et précise pour chaque objectif, issu du projet éducatif, les moyens, les modes d'évaluation, les responsabilités et l'échéancier. Le tout est consigné dans un plan d'action. Les moyens mis en place feront l'objet de suivi et de régulation au cours de l'implantation. L'objectif peut, au besoin, comporter des cibles mesurables. Ce sujet sera abordé dans le chapitre 4 portant sur le projet éducatif.

Le projet éducatif et le plan de réussite découlent de décisions prises par différents groupes appelés à travailler ensemble. Ces deux documents distincts ont une fin et une destination précises.

Le suivi

Une fois que le plan de réussite est mis en application, un suivi est nécessaire afin de s'assurer que l'établissement travaille dans le sens de l'atteinte des résultats attendus.

Selon Legendre[2], le suivi est « l'action d'observer, de surveiller, pendant une période prolongée, en vue de vérifier ou de contrôler ».

Le suivi constitue une forme d'évaluation en cours de réalisation du plan de réussite ; il permet de recueillir les renseignements nécessaires pour expliquer les résultats de l'évaluation formelle des objectifs. Cette étape constitue une mise à l'épreuve de la pertinence des moyens mis en place.

Le suivi doit être planifié en termes de contenu, de personnes à rencontrer et de fréquence, afin d'actualiser les moyens pour réaliser l'objectif visé.

L'évaluation

L'évaluation des objectifs du projet éducatif et du plan de réussite est un jugement porté sur le résultat atteint quant à l'objectif retenu et à sa cible. Ces derniers seront analysés à partir de l'information recueillie méthodiquement en regard d'indicateurs clairement énoncés. Des décisions à prendre et des actions à entreprendre découlent de ce jugement.

L'évaluation permet donc :
- d'analyser et d'apprécier, en tout ou en partie, la réalisation de la mission éducative ;
- de porter un regard critique, constant et constructif sur les intentions, les actions et les résultats ;
- de reconnaître les réussites ;
- d'ajuster les interventions selon l'évolution de la vie de l'établissement ;
- de corriger, au besoin, des écarts ou des erreurs ;
- de maintenir ou de corriger la trajectoire relative aux orientations et aux priorités établies.

La reddition de comptes aux parents et à la communauté

Depuis 1997, la loi précise que le conseil d'établissement doit informer la communauté des services offerts et rendre compte de leur qualité. La nouvelle loi va plus loin. Avec la volonté de rapprocher les parents, la communauté et l'école, le projet éducatif et le plan de réussite deviennent publics. L'exercice d'évaluation de la réalisation du plan de réussite, pour sa part, doit faire l'objet d'une reddition de comptes annuelle. Par ailleurs, un document rédigé d'une manière claire et accessible, expliquant le projet éducatif et faisant état de l'évaluation de la réalisation du plan de réussite, doit être distribué aux parents et aux membres du personnel de l'école (art. 83).

Le plan de réussite de l'établissement et le plan stratégique de la commission scolaire

> Le plan stratégique de la commission scolaire doit prendre appui sur sa mission et ses responsabilités et tenir compte des attentes du milieu et des besoins des élèves, tels qu'ils sont exprimés par les plans de réussite des établissements. Il doit respecter les grands encadrements législatifs. Il prend également en compte les orientations et les attentes du ministère de l'Éducation et est cohérent dans ses programmes et ses politiques.

Les plans de réussite des établissements, pour leur part, tiennent compte des orientations retenues dans le plan stratégique de la commission scolaire ainsi que du projet éducatif ou des orientations, selon le type d'établissement. Ces plans doivent être intégrateurs, c'est-à-dire refléter le projet éducatif ou les orientations en prenant en considération les mesures retenues pour la réussite et la qualification du plus grand nombre possible d'élèves.

Le projet éducatif, le plan de réussite et la reddition de comptes

À partir du projet de loi 124, nous vous présentons un schéma sur le processus d'élaboration du projet éducatif, du plan de réussite et de la reddition de comptes. Afin d'avoir une vue d'ensemble des différentes étapes de cette démarche, la figure 2 (voir p. 20) décrit les trois grandes phases importantes à réaliser en lien avec la loi.

Dans un premier temps, nous trouvons les trois grandes étapes qui sont : le projet éducatif, le plan de réussite et la reddition de comptes.

Dans un deuxième temps, nous présentons les éléments nécessaires à la réalisation de chacune des phases. Les renseignements fournis lors de l'analyse de la situation permettent l'amorce du projet éducatif dans lequel seront définies les intentions générales, pour ensuite préciser les objectifs en lien avec le plan de réussite.

Dans un troisième temps, l'actualisation du plan de réussite demande de préciser une mesure représentative d'un résultat afin de fixer le degré d'atteinte ciblé. Par la suite, chaque établissement pourra déterminer les moyens nécessaires pour faciliter la réalisation des objectifs. Dans une gestion axée sur les résultats, la phase du plan de réussite indique l'importance de définir les instruments d'évaluation pour faciliter le suivi et permettre de comparer les résultats atteints avec la cible visée. Toujours dans un esprit de transparence et d'imputabilité, le conseil d'établissement aura l'obligation de rendre des comptes pour justifier ses choix.

Calendrier et échéancier de la démarche du projet éducatif, du plan de réussite et de la reddition de comptes

Certains moments de l'année sont plus propices pour amorcer une démarche de projet éducatif. Comme il faut garder un certain rythme pour conserver la motivation du milieu, il est préférable de commencer le processus assez tôt dans l'année scolaire. Il est réaliste de penser que la démarche s'étendra sur toute l'année scolaire.

De la formation d'un comité *ad hoc* jusqu'à la validation de l'analyse de la situation, il faut prévoir y consacrer environ la moitié du temps imparti (autour de cinq mois). L'élaboration des orientations, des objectifs puis du plan de réussite occupera l'autre moitié.

Au sein du processus, il faut considérer les travaux du comité, des rencontres de validation et d'approfondissement (des constats de l'analyse de la situation, des orientations et des objectifs du projet éducatif, du plan de réussite) auprès des diverses instances (conseil d'établissement, CPEE, OPP, conseil d'élèves).

Assez souvent, le calendrier des rencontres du conseil d'établissement ainsi que les journées pédagogiques fixées dans le calendrier scolaire servent de balises pour préparer l'échéancier des travaux.

Comme la démarche demande généralement une année scolaire complète, il arrive que le plan de réussite ne soit approuvé qu'au début de l'année suivante, car, assez souvent, les établissements le terminent en juin lors des dernières journées pédagogiques alors que le conseil d'établissement ne siège plus. Comme un nouveau conseil n'est constitué qu'à l'automne suivant, le plan de réussite est donc approuvé après la rentrée scolaire.

Étapes à franchir et comités à mettre en place

Les étapes généralement franchies par un établissement pour élaborer un nouveau projet éducatif et son plan de réussite sont énoncées ci-après. Les intervenants et partenaires y sont présentés.

Figure 2 : Les étapes du processus de gestion du projet éducatif à la reddition de comptes

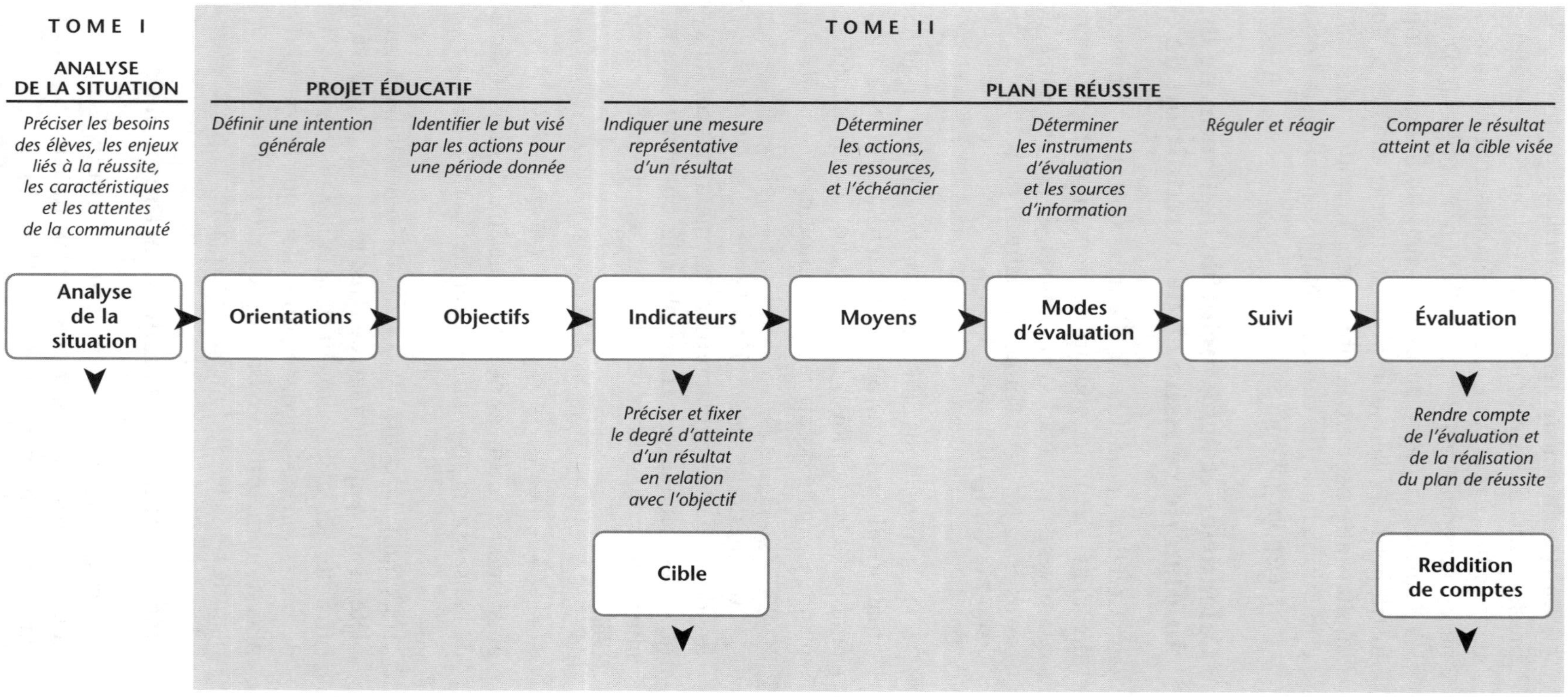

TOME I

ANALYSE DE LA SITUATION

Préciser les besoins des élèves, les enjeux liés à la réussite, les caractéristiques et les attentes de la communauté

Analyse de la situation

PROJET ÉDUCATIF

Orientations — *Définir une intention générale*

Objectifs — *Identifier le but visé par les actions pour une période donnée*

Indicateurs — *Indiquer une mesure représentative d'un résultat*

Cible — *Préciser et fixer le degré d'atteinte d'un résultat en relation avec l'objectif*

TOME II

PLAN DE RÉUSSITE

Moyens — *Déterminer les actions, les ressources, et l'échéancier*

Modes d'évaluation — *Déterminer les instruments d'évaluation et les sources d'information*

Suivi — *Réguler et réagir*

Évaluation — *Comparer le résultat atteint et la cible visée*

Reddition de comptes — *Rendre compte de l'évaluation et de la réalisation du plan de réussite*

Projet éducatif

Un nouveau projet éducatif doit être prévu à long terme. On parle ici d'une période d'environ cinq ans.

Lorsque le conseil d'établissement se penche sur la nécessité d'élaborer un nouveau projet éducatif :

- Il confie l'analyse de la situation à un comité *ad hoc* (souvent constitué de parents, d'un membre de la communauté, d'un membre de la direction, d'enseignants, d'un professionnel, d'un membre du personnel de soutien et d'un élève[3]). Une personne-ressource, déléguée par la commission scolaire ou issue d'un organisme, peut accompagner et conseiller le comité dans sa démarche.
- Le comité *ad hoc* sera sensibilisé aux éléments qui encadrent le projet éducatif local (projet éducatif national, régimes pédagogiques, politiques éducatives, programmes de formation, concept de réussite, politiques locales, plan stratégique de la commission scolaire...)
- Le comité se charge de déterminer la façon de procéder : stratégies de consultation et de collecte de données, documents à utiliser ou à produire, échéancier, collecte de données et dépouillement, responsables[4], etc.
- Une fois l'analyse de la situation terminée, le comité soumet les constats aux diverses instances[5] pour validation et approfondissement. Ces constats n'ont pas à être adoptés par le conseil d'établissement.
- Lorsque les constats sont validés et que des priorités stratégiques ont été dégagées, le comité se penche sur l'écriture des orientations et des objectifs qui constitueront le projet éducatif.
- Le document de travail du projet éducatif est déposé au conseil d'établissement, puis est présenté aux diverses instances aux fins de validation.
- Le comité dépose la version modifiée, au besoin, au conseil d'établissement afin qu'elle soit adoptée.
- Le conseil d'établissement se charge de présenter le projet éducatif à la communauté et à la commission scolaire.

Plan de réussite

Un nouveau plan de réussite doit être prévu à moyen terme. On parle ici d'une période d'environ trois ans.

Une fois le projet éducatif adopté, l'équipe-école se met à élaborer le plan de réussite :

- Un comité de pilotage est constitué. Il est composé du personnel de l'établissement. Il est avantageux que les personnes de l'école qui ont siégé au comité *ad hoc* pour le projet éducatif poursuivent la démarche. Une personne-ressource peut accompagner le comité. Les responsabilités de ce comité consistent à veiller à l'écriture du plan et à superviser les travaux. Le comité peut déterminer la démarche : groupes à rencontrer (équipes-cycle, unités, groupes-matière), contenus à présenter, documents à produire, animation, échéancier.

- Les travaux des divers groupes sont colligés par le comité de pilotage. Une présentation en est faite aux diverses instances nommées précédemment. Les ajustements sont effectués.
- Le plan de réussite est déposé au conseil d'établissement aux fins d'approbation.
- Le conseil d'établissement se charge de présenter le plan de réussite à la communauté et à la commission scolaire.
- Le comité de pilotage voit à la réalisation du plan en question et à son suivi tout au long de l'année scolaire. Périodiquement, il rend compte de l'état des travaux au conseil d'établissement et aux autres instances.
- Le conseil d'établissement se charge de présenter le bilan annuel du plan de réussite à la communauté et à la commission scolaire.

Chapitre 2

Le projet éducatif, un concept en évolution

De l'origine à nos jours

Depuis son apparition au Québec dans les années 1970, le concept de projet éducatif fut porteur de significations différentes. Voici, à grands traits, celle qui prédominait à son apparition en 1974 et celle qui prévaut en 2004.

Tableau 1 : Évolution du projet éducatif

De 1974...	... à 2004
Projet éducatif de l'école centré sur le développement des valeurs humanistes : • dans un contexte de diversification idéologique ; • dans le but d'assurer le maximum d'adhésion et de cohérence à l'action éducative ; • axées sur l'enseignement, l'encadrement et la relation maître-élèves.	Projet éducatif de l'école centré sur les valeurs de réussite : • dans un contexte de mondialisation et d'économie du savoir ; • dans le but d'assurer le maximum d'adhésion et de cohérence à l'action éducative ; • avec sa mission d'instruire, de socialiser et de qualifier telle qu'elle est définie par le Projet éducatif national.

Trente ans plus tard... un contexte évolutif... qui retrouve du sens

- La notion de projet éducatif trouve sa première expression en 1974 dans le document du Comité catholique du Conseil supérieur de l'éducation, *Voies et impasses*. Le concept reprend place dans le Livre vert sur *L'enseignement primaire et secondaire* en 1977.

- En 1975, *L'Analyse du vécu scolaire* montre que les élèves du secondaire ont des besoins d'identification et de relations significatives avec leurs éducateurs. Peu à peu s'installe une philosophie humaniste qui teintera les premiers projets éducatifs. Concrètement, les tâches « B-C-D » c'est-à-dire encadrement, surveillance et activités sont ajoutées à celle d'enseignement dans la Convention nationale des enseignants.

- En 1979, dans l'énoncé de politique et plan d'action du MEQ, *L'école québécoise*, on trouve de nouveau cette idée d'un projet rassembleur.

- C'est en décembre 1979 que le projet de loi 71 confirme le projet éducatif de façon légale.

- Puis, en décembre 1988, le projet de loi 107, sous l'appellation de Loi sur l'instruction publique (L.I.P.), institue dans chaque établissement primaire et secondaire un conseil d'orientation, en lui donnant le pouvoir de déterminer les orientations de l'école dont le projet éducatif précise les moyens que le directeur entend prendre pour le réaliser et l'évaluer.

- En juillet 1997, le projet de loi 180, modifiant la Loi sur l'instruction publique, définit le projet éducatif comme un ensemble d'orientations et de mesures qui visent l'application, l'adaptation et l'enrichissement du cadre national. Sur proposition du directeur d'école, le conseil d'établissement l'adopte.

- En décembre 2002, le projet de loi 124 apportant de nouvelles modifications à la Loi sur l'instruction publique (L.I.P.) précise que « le projet éducatif est mis en œuvre par le plan de réussite de l'école » (article 37.1) et fait obligation d'informer les parents du projet éducatif, du plan de réussite et des résultats obtenus. Plus que jamais, le projet éducatif de l'école devra tenir compte du projet éducatif national : plan stratégique du MEQ, mission de l'école (instruire, socialiser et qualifier) enchâssée dans la Loi sur l'instruction publique, les régimes pédagogiques et les programmes de formation.

Le concept de projet éducatif étant évolutif et teinté des valeurs politiques, économiques et sociales du moment, il faut désormais, dans chacun de nos établissements scolaires, cerner les concepts de réussite scolaire, éducative et sociale, compte tenu de l'environnement actuel, de manière à obtenir une vision commune et de déterminer des actions concertées[6].

L'évolution du concept du projet éducatif

L'évolution du projet éducatif est marquée par différentes conceptions. Voyons de quelle manière le concept s'est transformé au fil du temps.

Le projet éducatif axé sur les valeurs

Au gré de l'évolution de l'idée du projet éducatif, différents concepts sont venus s'y greffer. La préoccupation de l'éducation aux valeurs a été la plus associée à la notion du projet éducatif. À l'origine, l'une des principales raisons d'être du projet éducatif était la nécessité pour une école qui entrait dans la modernité d'assurer une éducation aux « vraies valeurs »[7]. Les transformations majeures de la société, notamment au sein de la famille et plus particulièrement de l'église, principaux lieux d'intégration et d'inspiration des valeurs[8], amènent l'école à modifier son rôle social. Elle est appelée à jouer un rôle déterminant en termes d'éducation aux valeurs et à la morale.

Le rôle social de l'école

Un autre motif qui induit l'importance des valeurs dans le projet éducatif est la légitimité du rôle social de l'école. En effet, en tant qu'institution sociale, l'école contribue à la mise en place des structures sociales et, à ce titre, véhicule des valeurs sociales importantes. Ainsi, les choix sociaux faits autour de l'école sont marquants pour le développement de la société, et un certain nombre de ses acteurs souhaiteraient influer sur l'orientation du rôle de l'école.

La question des valeurs a pris une place importante dans le développement de l'idée de projet éducatif comme en témoignent de nombreuses publications. En premier lieu, le ministre de l'Éducation publie, en 1988, un guide intitulé *Pour un projet éducatif centré sur des valeurs*. La Fédération des comités de parents fait ensuite paraître un « ensemble-ressource » s'inspirant largement de la démarche proposée dans le guide du Ministère en insistant encore plus sur l'apport des valeurs dans le projet éducatif[9]. Enfin, la CEQ (aujourd'hui CSQ) mentionne dans ses documents que les projets éducatifs doivent « mettre de l'avant nos valeurs collectives et démocratiques » dans un esprit de pluralisme (CEQ, 1991)[10].

Avec la modernité qui s'installe, le devoir moral de la personne vertueuse est remplacé par l'éthique de la personne responsable. Une douzaine d'années après avoir publié un rapport d'étude sur les valeurs dans le projet éducatif qui accusait l'école de s'esquiver devant son rôle d'enseignement des « vraies valeurs »[11], le Conseil supérieur de l'éducation consacre son rapport annuel de 1989-1990 à la tâche éducative essentielle pour l'école qu'est le développement d'une « compétence éthique pour aujourd'hui ». Il y prône davantage la capacité de faire des choix éthiques plus que celle d'inculquer une morale déterminée. Dans une société pluraliste où les références aux valeurs sont multiples et où les choix individuels priment, un projet éducatif défini uniquement par quelques valeurs universelles ne correspond plus au rôle éducatif que doit jouer l'établissement.

Le projet éducatif axé sur l'analyse instrumentale

Une autre conception à laquelle ont largement recours les promoteurs du projet éducatif est celle d'une analyse quantitative de la réalité avec sa batterie de questions qui la découpent en multiples compartiments à étudier. Ici, la recherche d'un regard objectif sur l'organisation qu'est l'école dans l'ensemble de ses dimensions est évoquée.

Dans cette logique, un comité composé de membres des différents sous-groupes de l'école, souvent appelés multiagents, est formé pour mener la démarche. Cette stratégie s'inspire des approches de changement planifié, car elle a recours à un groupe de personnes invitées à tenter d'influencer d'autres personnes de l'organisation afin « d'orienter leur conduite dans une direction donnée »[12]. Les membres de ce comité deviennent les experts du projet ou du changement. Ils analysent le milieu en recourant à la plus large consultation possible, principalement par des questionnaires écrits et par des rencontres semblables à des entrevues de groupe. Ils développent leur compréhension de ce milieu et les traduisent en priorités et en pistes d'action à proposer et à faire accepter.

Cette approche met davantage l'accent sur la mécanique à utiliser et sur les résultats à obtenir que sur le processus de mobilisation à développer dans l'école et, à cet égard, elle risque d'entretenir la vision mécaniste de l'intervention et de la gestion dans l'école. Un projet éducatif issu de cette approche peut demeurer le projet du comité multiagents, un projet à vendre et moins à partager.

Le projet éducatif axé sur l'apport de la communauté

L'école a pignon sur rue dans une communauté donnée ayant ses spécificités. Elle y est souvent l'institution la plus importante de par sa taille et sa mission d'éduquer ses enfants. Le projet éducatif peut être vu comme un moyen de permettre à cette communauté de déterminer les choix éducatifs de son école.

Les premiers concernés par cette approche sont les parents. Différentes législations sur l'éducation au Québec ont graduellement accordé plus de place aux parents dans l'école. Aujourd'hui, sous l'égide du projet de loi 180, le conseil d'établissement qui adopte le projet éducatif de l'école compte un nombre de parents « au moins égal au nombre total des représentants des autres groupes » (art. 57), et parmi ceux-ci, il peut aussi, s'il le désire, nommer un représentant de la communauté.

Les parents peuvent donc occuper une place prépondérante dans l'identification des orientations de l'école. À cet égard, nous observons que le réseau d'écoles alternatives et d'écoles à projet particulier a été formé au Québec sous l'égide de parents.

A priori, les dispositions de la loi en regard du poids relatif des parents dans la détermination des orientations de l'école pourraient démobiliser son personnel qui y verrait un risque d'ingérence dans leur action propre. Mais dans la réalité, l'autorité des équipes-école dans les actions de l'établissement d'enseignement est déterminante. Un projet éducatif qui tenterait de ne pas tenir compte de cette réalité risque d'avoir un faible impact. La participation de la communauté et des parents ne peut s'insérer dans cette perspective à moins que ces derniers ne deviennent des acteurs tout aussi présents que les enseignants dans les murs de l'école.

Le projet éducatif dans le cadre de la décentralisation

L'organisation scolaire au Québec se met graduellement à l'heure de la décentralisation. Les demandes d'adaptation, tant externes qu'internes, l'incitent à développer des pratiques de gestion participative dans ses rouages administratifs. L'école y est de plus en plus perçue en tant qu'entité autonome capable de créativité et d'adaptation à ses réalités propres. On parle alors de responsabilité partagée.

À la limite, cette responsabilité partagée requiert une prise en charge collégiale des problèmes et des solutions : c'est cela, une gestion participative. Les problèmes éducatifs de l'établissement sont les problèmes de tous. Et chaque enseignant peut participer à la recherche de solutions et aux décisions importantes qui ont trait à la chose éducative dans le projet d'établissement[13].

Pour plusieurs, cette décentralisation est une occasion de redistribution du pouvoir sur l'organisation de l'éducation vers les établissements, son personnel et les parents. Le projet éducatif devient un pivot de cette redistribution des pouvoirs.

Par ailleurs, la pratique dominante dans le monde de l'éducation a surtout été marquée par une conception bureaucratique et hiérarchique de la gestion. Ces pratiques ont installé des façons de faire et des prérogatives qui seront difficiles à transformer. D'un côté, les marges de manœuvre peuvent paraître ténues et, de l'autre, un évitement est toujours possible pour ne pas ouvrir la porte à des discussions sur des conditions établies. Autour du projet éducatif gravitent des enjeux organisationnels et collectifs qui peuvent restreindre son apport à une redistribution des pouvoirs.

Un fil conducteur : la mobilisation

Au moment où le concept du projet éducatif est redéfini par la Loi sur l'instruction publique (projet de loi 124), les acteurs des établissements sont interpellés afin de régénérer le sens qu'ils lui accordent. Depuis son apparition, différentes significations lui ont été accolées. Que ce soit à travers la recherche de valeurs communes, l'utilisation d'instrumentation d'analyse, la participation de la communauté et des parents ou la recherche de décentralisation, un fil conducteur apparaît entre ces différentes perspectives : la mobilisation. L'enjeu de la mobilisation est de première importance dans la gestion des établissements. Les démarches d'implantation des projets éducatifs sont des outils pour animer cette mobilisation. Cette façon de voir doit être au cœur des conceptions et des pratiques du projet éducatif.

Le lien entre le projet éducatif national et le projet éducatif local

Le projet éducatif national est défini par la Loi sur l'instruction publique, les régimes pédagogiques, les programmes de formation et les politiques éducatives établis par le ministre.

« Le projet éducatif de l'école contient les orientations propres à l'école et les objectifs pour améliorer la réussite des élèves. »

Ces orientations et ces objectifs visent l'application, l'adaptation et l'enrichissement du cadre national défini par la loi, les régimes pédagogiques et les programmes d'études établis par le ministre[14].

Le modèle intégrateur du processus de gestion de la mission éducative présente les trois paliers du système éducatif québécois.

La figure 3 illustre les trois paliers du système d'éducation québécois : le ministère de l'Éducation, la commission scolaire et l'établissement d'enseignement et leur cadre de responsabilité.

Figure 3 : Modèle intégrateur du processus de gestion de la mission éducative

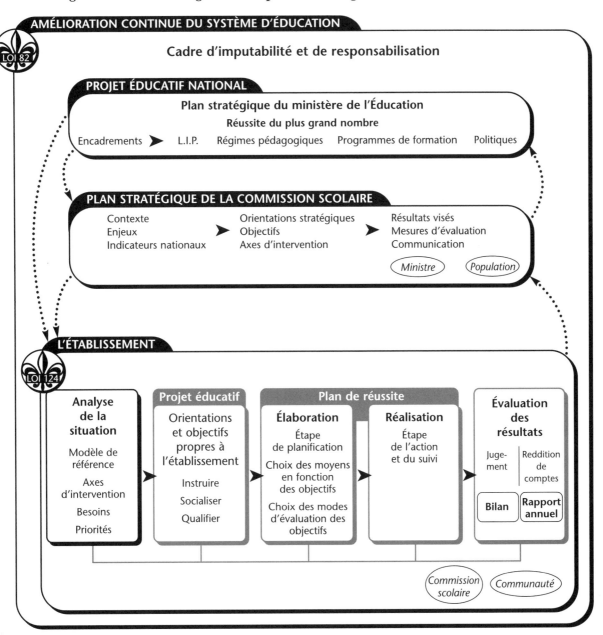

Le premier palier, c'est-à-dire le ministère de l'Éducation, donne les grandes orientations éducatives du projet éducatif national, lequel vise la réussite du plus grand nombre. Ce projet éducatif national comprend les

encadrements que sont la Loi sur l'instruction publique, les régimes pédagogiques, les programmes de formation et les politiques éducatives. Les trois
volets de la mission éducative sont clairement énoncés à l'article 36, 2e para-
graphe, de la Loi sur l'instruction publique. De même, comme l'exige le
projet de loi 82, le MEQ élabore son plan stratégique.

Le deuxième palier qu'est la commission scolaire a l'obligation de réaliser
un plan stratégique en tenant compte des indicateurs nationaux, des orientations et des objectifs du plan stratégique du MEQ et des besoins des écoles et
des centres.

Quant au troisième palier, l'établissement scolaire, il élabore le projet
éducatif à partir des priorités stratégiques précisées à l'issue de l'analyse de la
situation. Le projet éducatif comprend les orientations et les objectifs qui
découlent des priorités stratégiques ; il tient également compte des orientations retenues dans le plan stratégique de la commission scolaire. Il est mis en
œuvre par le plan de réussite qui comprend principalement les moyens utilisés pour améliorer la réussite des élèves. À la suite de la réalisation du plan
de réussite, une évaluation des objectifs est entreprise afin de rendre compte
des résultats atteints ; c'est la reddition de comptes à l'interne et à l'externe au
moyen du rapport annuel.

Figure 4 : Projet éducatif national et projet éducatif de l'école

PROJET ÉDUCATIF NATIONAL

LOI SUR L'INSTRUCTION PUBLIQUE

RÉGIMES PÉDAGOGIQUES

PROGRAMMES DE FORMATION

POLITIQUES ÉDUCATIVES

PROJET ÉDUCATIF DE L'ÉCOLE • ORIENTATIONS DU CENTRE

Orientations et objectifs qui visent :
- l'application locale ;
- l'adaptation locale ;
- l'enrichissement local de la mission éducative :
  → instruire,
  → socialiser,
  → qualifier.

Le tableau qui suit présente le contenu du projet éducatif national
mis à jour régulièrement. Les établissements scolaires sont soumis à ces
encadrements afin d'assurer la réussite des élèves.

Tableau 2 : Contenu du projet éducatif national

| **Loi sur l'instruction publique** |
| √ Modifications 1997 (projet de loi 180) et 2002 (projet de loi 124) |
| **Régimes pédagogiques (jeunes, adultes, formation professionnelle)**
Instructions (jeunes, adultes, formation professionnelle)
Programmes de formation |
| √ Programme de formation de l'école québécoise : éducation préscolaire et enseignement primaire (2001)

√ Programme de formation de l'école québécoise : enseignement secondaire (2003)

√ Programme de formation FGA (à venir) |
| **Politiques éducatives – Plans d'action** |
| • Plan d'action ministériel pour la réforme en éducation (février 1997)

√ Énoncé de politique éducative : L'école, tout un programme (septembre 1997)

• Adaptation scolaire : Une école adaptée à tous ses élèves (1999)

• Plan d'action en matière d'adaptation scolaire (1999)

• Plan d'action TDAH : Agir ensemble pour mieux soutenir les jeunes (2000)

√ Politique gouvernementale d'éducation des adultes et de formation continue (2002)

• Plan d'action en matière d'éducation des adultes et de formation continue (2002)

√ Politique d'évaluation des apprentissages (2003)

√ Politique et plan d'action en matière d'intégration scolaire et d'éducation interculturelle (novembre 1998) |
| **Orientations** |
| √ Orientations ministérielles : actualisation du réseau des CEMIS (2000)

√ La formation à l'enseignement : les compétences professionnelles (2001) |
| **Cadre de référence** |
| √ L'évaluation des apprentissages à l'éducation préscolaire et au primaire (2002)

√ Cadre de référence des services éducatifs complémentaires : Les services éducatifs complémentaires essentiels à la réussite (2002)

√ Cadre de référence pour les élèves ayant des difficultés d'apprentissage (préscolaire – primaire – secondaire)

√ Cadre de référence : Le plan d'intervention… au service de l'étudiant |
| **Entente MEQ – MSSS :**
Deux réseaux, un objectif, le développement des jeunes (2003) |

La réussite du plus grand nombre

Le 24 octobre 1996, dans la foulée des États généraux sur l'éducation, la ministre de l'Éducation d'alors, Mme Pauline Marois, rend publiques les grandes orientations de la réforme.

Elle souligne qu'il est urgent de rénover notre système d'éducation, sans qu'il faille pour autant repartir à zéro. La société québécoise dans son ensemble, et non seulement le monde scolaire, est dès lors invitée à relever un défi de taille : faire prendre à l'éducation le virage du succès.

« Le coup de barre à donner consiste à passer de l'accès du plus grand nombre au succès du plus grand nombre. Ainsi en l'an 2010, 85 % des élèves d'une génération devront obtenir un diplôme du secondaire avant l'âge de 20 ans, 60 %, un diplôme d'études collégiales et 30 %, un baccalauréat. Ce sont là des objectifs exigeants. »[15]

Quelles sont les raisons qui motivent ces choix, remettent en question la mission de l'école et appellent une révision des contenus de formation ? D'abord, dans une société où les savoirs occupent et occuperont une place centrale, tous les élèves doivent pouvoir accéder à la maîtrise des savoirs essentiels, et cela, au moment approprié. Ensuite, les élèves doivent se préparer à l'exercice d'une citoyenneté responsable, qui se construit par la transmission et le partage de valeurs communes. Enfin, les élèves doivent être sensibilisés aux défis mondiaux qui ont des répercussions sur toutes les sociétés, en acquérant progressivement des capacités de réfléchir et d'agir qui transcendent les modes ou les intérêts individuels. C'est principalement en répondant à ces exigences que l'école favorise l'égalité des chances et l'intégration sociale.

Cependant, certaines conditions doivent être réunies pour que ces changements puissent améliorer la qualité de l'éducation : de la rigueur, de l'exigence et de l'effort, de même que l'aménagement d'une organisation scolaire qui soutienne et accompagne les élèves dans leurs apprentissages.

Pour conduire les élèves à la réussite, l'école a besoin de l'appui de tous les agents de l'éducation, jeunes et adultes. Mais cet appui ne lui sera accordé que si les missions qui lui sont confiées sont connues et font consensus. Il importe donc de mieux définir le champ d'action de l'école.

Définir la réussite à la suite de l'énoncé des trois missions de l'école

Le terme « réussite » peut englober plusieurs réalités, selon le point de vue que l'on adopte.

La réussite des élèves, considérée en fonction des trois missions de l'école québécoise, « instruire, socialiser et qualifier », est décrite dans l'encadré de la page 59 du tome 1[16].

Étant donné que nous cherchons à définir le sens du terme « réussite » dans le cadre du projet éducatif, il semble approprié de lui donner une connotation scolaire. Il n'en est pas pour autant réduit à l'obtention d'un diplôme, comme le propose la Commission de l'éducation[17]. (Voir encadré, page 56, tome 1.)

Le programme de formation de l'école québécoise propose aussi un nouvel éclairage quant au sens à donner à la réussite[18]. (Voir encadré, page 57, tome 1.)

Les trois missions de l'école[19]

Instruire, avec une volonté réaffirmée

L'école a une fonction irremplaçable en ce qui a trait à la transmission de la connaissance. Réaffirmer cette mission, c'est donner de l'importance au développement des activités intellectuelles et à la maîtrise des savoirs. Dans le contexte actuel de la société du savoir, la formation de l'esprit doit être une priorité pour chaque établissement.

Socialiser, pour apprendre à mieux vivre ensemble

Dans une société pluraliste comme la nôtre, l'école doit être un agent de cohésion ; elle doit favoriser le sentiment d'appartenance à la collectivité, mais aussi l'apprentissage du « vivre-ensemble ». Dans l'accomplissement de cette fonction, l'école doit être attentive aux préoccupations des jeunes quant au sens de la vie ; elle doit promouvoir les valeurs qui fondent la démocratie et préparer les élèves à exercer une citoyenneté responsable ; elle doit aussi prévenir en son sein les risques d'exclusion qui compromettent l'avenir de trop de jeunes.

Qualifier, selon des voies diverses

L'école a le devoir de rendre tous les élèves aptes à entreprendre et à réussir un parcours scolaire ou à s'intégrer à la société par la maîtrise de compétences professionnelles. Pour qu'elle remplisse cette mission, l'État doit définir le curriculum national de base, et les établissements doivent offrir des cheminements scolaires différenciés selon les champs d'intérêt et les aptitudes de chaque élève, particulièrement au-delà de l'éducation de base. Il est temps d'accorder une attention plus soutenue à l'orientation des élèves et de réhabiliter la formation professionnelle comme voie normale de scolarisation.

Le concept de « réussite » au fil des ans

À titre d'information, le tableau 3 ci-après présente de façon succincte le concept de réussite, tel qu'il est traité dans 17 documents entre 1992 et 2003. Les préoccupations pour assurer une plus grande réussite remontent à 1992 avec *Chacun ses devoirs : plan d'action sur la réussite éducative.*

Tableau 3 : Le concept de « réussite » au fil des ans[20]

1992	1993	1995-1996	1997	1998	1999
Chacun ses devoirs : Plan d'action sur la réussite éducative	**Faire avancer l'école :** L'enseignement primaire et secondaire : orientations, propositions, questions — **Des collèges pour le Québec du xxᵉ siècle** Ministère de l'Enseignement supérieur et de la Science	Des États généraux sur l'éducation	**Prendre le virage du succès :** Plan d'action ministériel pour la réforme de l'éducation. **L'école tout un programme.** Énoncé de politique éducative.	**Une école d'avenir :** Politique d'intégration scolaire et d'éducation interculturelle	**Vers une école adaptée à tous les élèves** Politique de l'adaptation scolaire — **Parfaire le savoir et la formation** Rapport du chantier, Sommet du Québec et de la jeunesse
La réussite éducative se traduit par : • l'augmentation du nombre de diplômés – 80 % d'ici 5 ans ; • la qualité de la formation préservée ; • des liens avec la qualité de vie scolaire ; • des plans d'action locaux ; • des cibles en termes d'énoncés (par ex. : recourir au titulariat) ; • des mesures d'appui et de soutien ; • des indicateurs de réussite.	Une réussite de qualité : • maintien du cap sur la réussite éducative des jeunes ; • nouvelle étape vers la réussite d'un plus grand nombre, marquée par le souci de la qualité de la réussite ; • l'État doit mettre l'accent sur l'évaluation des résultats de l'ensemble du système éducatif ; il doit rendre compte à la population. — Un nouveau défi : la réussite des études • cible stratégique du renouveau relative à l'accessibilité dans une dimension engageante : l'accès à la réussite des études.	• Réprécision des finalités éducatives : instruire, socialiser et préparer à l'exercice des différents rôles sociaux (qualification professionnelle) ; • préoccupation de la réussite de la formation ; • considérer la réussite éducative et non seulement la réussite scolaire ; • accompagner chaque élève vers sa réussite ; • passer de l'accès au succès.	Faire prendre à l'éducation le virage du succès : • une école de la réussite qui permet à tous les enfants un accès à des services éducatifs adaptés à leurs besoins pour donner des chances égales de réussite ; • l'accès du plus grand nombre au succès du plus grand nombre ; • la réussite des élèves en lien avec les pouvoirs de l'école.	• réussite scolaire – rendement scolaire de l'élève nouvellement arrivé ; • favoriser l'intégration et lui offrir ainsi les mêmes chances de réussite qu'aux autres élèves.	• une réussite éducative qui se traduit selon les capacités et les besoins des élèves ; • la réussite est l'obtention de résultats observables, mesurables et reconnus qui rendent compte de l'évolution de l'élève, de ses progrès continus. — • donner à tous une chance égale de réussir ; • assurer une qualification pour 100 % des jeunes en fonction des choix et du potentiel de chacun ; • un plan de réussite pour chaque établissement, pour chaque ordre d'enseignement.

Tableau 3 : Le concept de « réussite » au fil des ans (suite)

2000	2001		2002				2003	
Déclaration commune faisant état des consensus dégagés par les participants du Sommet du Québec et de la jeunesse	**Plan stratégique du ministère de l'Éducation 2000-2003** Mise à jour en avril 2001	**Au collégial L'orientation au cœur de la réussite** Conseil supérieur de l'éducation	**Avis au ministre sur le projet de loi 124** Conseil supérieur de l'éducation	**Agir autrement Pour la réussite des élèves du secondaire en milieu défavorisé**	**Ça bouge après l'école** Un milieu de vie stimulant	**Politique gouvernementale d'éducation des adultes et de formation continue**	**Les services éducatifs complémentaires : essentiels à la réussite**	**Une école secondaire transformée pour la réussite des élèves du Québec**
Savoir et Formation : un plan national de réussite : • qualification de 100 % des jeunes en fonction du choix et du potentiel de chacun ; • un plan de réussite pour chacun des établissements, de chaque ordre d'enseignement.	Pour accroître la réussite scolaire des élèves et des étudiants, les objectifs sont : • d'augmenter le taux de diplomation ; • d'accroître la qualité des apprentissages ; • de mettre en œuvre une approche de prévention et d'intégration à l'égard des élèves handicapés ou en difficultés d'adaptation ou d'apprentissage ; • d'assurer l'accessibilité financière aux études.	• la réussite éducative englobe la réussite scolaire ; • la réussite scolaire se mesure par les résultats scolaires et l'obtention du diplôme ; • elle ne s'oppose pas à la réussite éducative mesurable surtout par des indicateurs d'ordre qualitatif ; • la réussite pour les jeunes réfère à la notion de projet, à la réalisation de la personne.	Vision de la réussite : • rejoint les deux grandes finalités de l'éducation : – individuelle : développement intégral de la personne ; – sociale : développement des droits de la personne (fondement de la démocratie) ; • la réussite éducative embrasse les trois missions de l'école : instruire, socialiser et qualifier ; • la réussite scolaire renvoie à la mission d'instruire.	• la réussite scolaire : c'est l'acquisition de compétences et l'obtention d'une qualification facilitant l'intégration au marché du travail et la participation au développement du Québec moderne ; • la communauté éducative (jeunes, école, famille et partenaires) atténue les risques d'échec et favorise la réussite ; • réussir, c'est bien plus que se qualifier et obtenir un diplôme, c'est mieux maîtriser le monde dans lequel on vit ; • c'est profiter de ce que l'on a appris à l'école pour mieux vivre et devenir un citoyen à part entière ; • réussir à l'école, c'est se donner des moyens pour réussir dans la vie et pour réussir sa vie.	• Le programme « Ça bouge après l'école » est : • un outil essentiel à la réussite du plus grand nombre d'élèves possible ; • une programmation intégrée au plan de réussite de l'école.	L'éducation et la formation continue des adultes : • qualifications techniques ou professionnelles : – le concept d'éducation des adultes renvoie à la dimension scolaire ; – le concept de formation continue est lié à l'emploi tel qu'il est appliqué au Québec dans le cadre du développement de la main-d'œuvre ; • la reconnaissance de la formation : – le caractère qualifiant se vérifie par la reconnaissance de la formation ; • la reconnaissance des acquis et des compétences : – levier majeur pour la formation continue.	• des services de soutien accessibles afin de permettre au plus grand nombre de se qualifier ; • une approche orientante afin de faciliter l'insertion sociale et professionnelle à l'âge adulte ; • la recherche de solutions afin de contourner ou franchir les obstacles à la réussite ; • la réussite peut se traduire différemment selon les capacités et les besoins des élèves. Réussite éducative : • la réussite éducative est plus englobante que la réussite scolaire. Référence à la mission de l'école.	• la réussite de tous les élèves est visée par : – de meilleurs apprentissages – plus d'encadrement ; – une école plus stimulante ; • à la portée de tous : – des cheminements offerts plus diversifiés ; – les jeunes pourront progresser selon leurs champs d'intérêt et leurs aptitudes.

Chapitre 3

De l'analyse de la situation aux priorités stratégiques

Le passage des besoins des élèves aux priorités stratégiques

Le premier tome de *Mon école, mon projet, notre réussite* présente l'analyse de la situation comme une occasion pour tous les partenaires de l'établissement scolaire de dresser un portrait de son état, une situation qui a obtenu le consensus de tous. (Voir page 117, tome 1.)

Ces constats proviennent d'abord de l'environnement interne, c'est-à-dire les causes et les facteurs qui dépendent de l'établissement. Comme ce dernier détient un certain pouvoir d'action sur le changement, ces constats représentent des *défis* pour l'école ou le centre.

D'autres constats, dont les causes et les facteurs proviennent de l'environnement externe (la famille, la communauté), constituent des *enjeux* sur lesquels l'établissement a un pouvoir d'action restreint ou parfois nul quant au changement à opérer. Il convient donc pour celui-ci de distinguer les défis des enjeux et de déterminer les actions qui peuvent mener à des changements, selon son pouvoir d'action. Des priorités stratégiques se dégageront de ces constats.

Les besoins ciblés ont été choisis dans le but d'assurer la réussite des élèves. Afin de ne retenir que les éléments essentiels, il faudra retrancher les redondances parmi les constats, s'il y a lieu, et attribuer un ordre de priorités à ceux qui sont conservés. Pour clore l'analyse de la situation, les éléments retenus à la page 117 (tome 1) ont été reportés au tableau de la page 118 afin d'établir ce que seront les priorités stratégiques. Il convient de ne retenir que quelques éléments, car une multitude d'orientations entrave la reconnaissance des particularités de l'établissement. Par ailleurs, l'éparpillement des actions démobilise les acteurs qui finissent par souffrir d'essoufflement à force de tenter de mener plusieurs projets simultanément.

Forces, faiblesses et préoccupations

En plus des priorités stratégiques, il importe de déterminer les forces de l'école ou du centre. Dans le projet éducatif, les forces, lorsqu'elles sont maintenues, peuvent constituer des traditions, alors que les faiblesses, si des correctifs leur sont apportés, permettront à l'école de réaliser pleinement sa mission. Quant aux préoccupations, qui ne sont ni des forces ni des faiblesses, elles peuvent constituer des visées éducatives facilitant l'énonciation de certaines orientations du projet éducatif. Les préoccupations peuvent émerger des consultations, sans avoir été prévues dans les questionnaires et les entrevues. Ces trois catégories seront reprises dans le chapitre suivant.

Le tableau de bord qui suit permet de dégager les priorités stratégiques à partir des constats et des facteurs de réussite.

1er tableau de bord[21]

IDENTIFICATION DES PRIORITÉS STRATÉGIQUES

Constats[22]			Facteurs de réussite	Pouvoir d'action[23]			Mission de l'école	Priorités stratégiques retenues	
				1	2	3			
Besoins et faiblesses	Forces	Préoccupations		Élevé	Restreint	Nul	(I-S-Q)	Oui	Non
			• Disponibilité des ressources (H-M-F)[24] • Efficience des ressources[25] • Engagement du personnel • Engagement des parents • Engagement de la communauté • Actions efficaces déjà réalisées ou amorcées						
			• Disponibilité des ressources (H-M-F) • Efficience des ressources • Engagement du personnel • Engagement des parents • Engagement de la communauté • Actions efficaces déjà réalisées ou amorcées						
			• Disponibilité des ressources (H-M-F) • Efficience des ressources • Engagement du personnel • Engagement des parents • Engagement de la communauté • Actions efficaces déjà réalisées ou amorcées						

Dans la première colonne, les constats sont classés selon qu'ils ont été reconnus comme étant des besoins et des faiblesses, des forces ou des préoccupations. Puis, l'établissement détermine si les facteurs de réussite énoncés sont présents afin de préciser si l'établissement détient le pouvoir d'amorcer un changement pour la réalité décrite. Ces facteurs de réussite facilitent la mise en place ou la poursuite des actions menant au changement. Plus le nombre de facteurs identifiés est élevé, plus le pouvoir d'action de l'établissement est grand. Ce jugement sera consigné dans le bloc « pouvoir d'action ». À l'étape suivante, il faudra déterminer dans quelle mission éducative le constat s'inscrit (instruire, socialiser ou qualifier). Il est possible qu'un constat loge sous plus d'une mission. Dans le cas contraire, il serait important de relever des constats qui n'auraient pas été retenus de façon prioritaire. Les constats doivent être tirés des trois missions.

En outre, il faut assurer un équilibre entre les forces et les faiblesses. Un établissement qui ne conserverait que des forces négligerait certaines améliorations à apporter, tandis qu'un autre qui ne retiendrait que des faiblesses risquerait de démobiliser les acteurs du changement et d'obtenir des succès mitigés en raison de la lourde charge de travail exigée. Les priorités stratégiques seront reprises au chapitre 4.

Chapitre 4

Le projet éducatif

Lorsqu'une collectivité s'entend sur un sens à donner à son action, les membres peuvent alors mettre de côté leurs intérêts personnels ou corporatifs, dont les visées sont souvent à court terme, pour consacrer leurs énergies à des projets à long terme... C'est le sens donné à l'action qui mobilise. [26]

Jacques Grand'Maison

Quelle forme doit prendre le projet éducatif ?

Pour bon nombre de personnes œuvrant dans les établissements, le projet éducatif est un document assez volumineux, auquel on se réfère occasionnellement. Il prend diverses formes : document cartonné, relié, imprimé en couleurs ou non...

Figure 5 : Responsabilités légales des écoles dans l'élaboration du projet éducatif, du plan de réussite et de la reddition de comptes

	ANALYSE DE LA SITUATION	PROJET ÉDUCATIF	PLAN DE RÉUSSITE	REDDITION DE COMPTES
	Forces et faiblesses — Validation — Priorités stratégiques	Orientations — Objectifs	Moyens — Modes d'évaluation • Indicateurs • Cibles — Suivi	Évaluation
Conseil d'établissement	Analyse Art. 74	Élabore, réalise et évalue. Art. 36.1 Adopte Art. 74	Approuve Art. 75	Informe Rend public Rend compte Art. 83
Direction	Coordonne et s'assure que le C.E. reçoit les renseignements nécessaires. Art. 96.13	Participe Art. 36.1 Coordonne l'élaboration, la réalisation et l'évaluation. Art. 96.13	Propose Art. 75 Coordonne l'élaboration, la révision et l'actualisation. Art. 96.13	Coordonne Art. 96.13
Équipe-école	Participe Art. 74	Participe Art. 36.1 et 74	Participe Art. 96.13	Participe Art. 74

Loin de nous l'idée de vous guider vers un seul modèle. Notre objectif est plutôt de vous permettre d'élaborer un contenu pertinent.

En ce sens, le projet éducatif devra contenir les orientations et les objectifs retenus à l'issue de la démarche entreprise. Il peut, par ailleurs, contenir une présentation de l'établissement et quelques photos significatives, décrire de quelle façon l'école ou le centre a entrepris le renouvellement du projet éducatif, le temps et les ressources consentis, les personnes qui s'y sont associées, etc.

Toutefois, il ne devra jamais contenir le code de vie, les maquettes de cours, les listes d'activités parascolaires ou autres. Par ailleurs, les moyens que l'établissement compte mettre en œuvre relativement aux objectifs visés se trouveront dans le plan de réussite.

Bref, pour présenter le projet éducatif à l'équipe-école et à la direction de la commission scolaire, un document de quelques pages peut suffire. Une version abrégée, sous forme de feuillet par exemple, peut être conçue pour les parents et la communauté.

Figure 6 : Responsabilités légales des centres dans l'élaboration du projet éducatif, du plan de réussite et de la reddition de comptes

	ANALYSE DE LA SITUATION	ORIENTATIONS	PLAN DE RÉUSSITE	REDDITION DE COMPTES
	Forces et faiblesses	Orientations / Objectifs	Moyens et modes d'évaluation	Amélioration de la qualité
Équipe-centre	Participe Art. 109	Participe Art. 109	Participe Art. 109.1	Participe Art. 109 et 109.1
Direction	Coordonne et s'assure que le C.E. reçoit les renseignements nécessaires. Art. 110.10	Participe Art. 109 Coordonne l'élaboration, la réalisation et l'évaluation. Art. 110.10	Propose Art. 109.1 Coordonne l'évaluation, la révision et l'actualisation. Art. 110.10	Coordonne Art.110.10
Conseil d'établissement	Analyse Art. 109	Détermine les orientations. Art. 109 Détermine les objectifs pour améliorer la réussite des élèves. Art. 109	Approuve le plan de réussite et son actualisation. Art. 109.1	Informe Rend public Rend compte Art. 110.3.1
Conseil d'établissement	Tient compte du plan stratégique. Art. 109	Favorise Art. 218 S'assure Art. 245.1	Favorise Art. 218 S'assure Art. 245.1	Est informé Art. 110.3.1

La mobilisation des intervenants et des partenaires

Une école mobilisatrice est une école qui sait recourir à ses intervenants et ses partenaires autant dans les décisions que dans l'exécution des actions. Elle leur permet d'élaborer et d'exprimer leurs observations qualitatives sur leur milieu et sur leurs actions. Ces communications « interpersonnelles » mènent à des compréhensions mutuelles des perceptions de chacun. De ces compréhensions peuvent naître des projets communs.

Le projet éducatif : un outil de mobilisation pour l'école

Le projet éducatif, s'il n'est pas appliqué dans une optique stricte de conformité à la loi, peut être un instrument d'animation et de mobilisation pour l'école. Au mot « projet », le Larousse donne la définition suivante : « [...] ce que l'on a l'intention de faire ». Un projet formule donc des intentions. Toute école, du fait de son existence et de la contribution de ses acteurs, est porteuse de projets qui s'esquissent à travers sa vision du monde.

Un projet vivant, concret et centré sur l'élève

Pour que tous demeurent mobilisés dans l'école qui sait s'adapter à son environnement, le projet doit être lui aussi en évolution constante et recourir à des mécanismes continus de planification et d'évaluation.

Une démarche axée sur le processus ne veut pas dire que celle-ci aura à s'éloigner des préoccupations concrètes de l'école. Au contraire, si elle veut interpeller la communauté éducative, elle doit placer les actions désirables et applicables au premier plan des discussions.

Le projet éducatif est un instrument de mobilisation parmi d'autres. Il doit s'adapter à la dynamique de l'école. L'essentiel est d'installer le processus complet de réflexion/action sur un certain nombre de dimensions de l'établissement et de discuter des aspects qui semblent les plus importants pour les intervenants et les partenaires. Une discussion sur l'école n'a pas à être imposée à partir de grilles abstraites. Elle doit suivre et mettre à jour les préoccupations et les intentions de la communauté éducative. Il est plus important de vivre une démarche complète sur des dimensions restreintes, mais pertinentes, que de vivre une opération globale, mais sans significations réelles.

Souvent, les débats autour du projet éducatif portent uniquement sur la nouveauté. On y cherche de nouvelles idées, on a l'impression que la mobilisation passe par de nouvelles actions à mettre en place. La discussion doit tenir compte non seulement des changements désirés par les intervenants et les partenaires en présence, mais aussi de leurs réussites passées à transposer dans l'avenir.

Toutes les considérations entourant l'implantation du projet éducatif relèvent de l'art de l'ajustement d'un milieu vivant sa propre évolution et connaissant des dynamiques spécifiques.

Le tableau suivant illustre la mobilisation dans la gestion du projet éducatif. Il définit ses étapes d'élaboration, les actions à mettre en place et les objets de réflexion et de discussion des participants.

Tableau 4 : La mobilisation dans la gestion du projet éducatif et du plan de réussite

Étapes d'élaboration	Actions	Objets de réflexion
Analyse de la situation	**Cadre de la démarche**	**S'engager**
	• Choix de la démarche • Approbation de la démarche	• Discussion sur les champs d'intérêt et les craintes • Exploration des modalités de réalisation de la démarche • Engagement des acteurs dans la démarche
	État de la situation	**Comprendre et se comprendre**
	• Acquiescement à un énoncé d'état de la situation • Dégagement des priorités stratégiques	• Échange de points de vue relatifs à l'état de la situation • Partage des interprétations • Établissement des priorités
Projet éducatif	**Énoncé de vision**	**S'orienter**
	• Choix des orientations et des objectifs • Adoption des orientations et des objectifs	• Discussion des tendances • Débat sur les visées • Validation des énoncés
Plan de réussite	**Énoncé des actions**	**Planifier**
	• Choix des indicateurs, des cibles, des moyens et des modalités d'évaluation • Décision relative à l'affectation des ressources • Approbation du plan de réussite	• Exploration des moyens • Discussion à propos de l'évaluation
Suivi du plan de réussite	**Application**	**Se mettre en action**
	• Mise en œuvre des actions dans les classes, les cycles, l'établissement et la communauté • Collecte des renseignements • Décision des ajustements en cours	• Réaction à l'application des moyens • Commentaires sur l'évolution de la situation
Évaluation des objectifs du projet éducatif	**Évaluation**	**S'évaluer**
	• Jugement porté sur les résultats • Acquiescement à des énoncés d'évolution d'état de la situation • Adoption des ajustements	• Échange de points de vue relatifs à l'évolution de la situation, les actions réalisées et les résultats • Vérification de l'efficacité et de l'efficience
Reddition de comptes	**Publication**	**Réviser et actualiser**
	• Rédaction du rapport annuel • Diffusion du rapport aux parents, à la communauté et à la commission scolaire	• Révision des orientations et des objectifs • Reconnaissance des progrès

Voici quelques règles énoncées par Philippe Perrenoud pour faciliter la mise en œuvre d'un projet d'établissement[27].

Selon l'auteur, il faut :
1. que le projet représente une rupture par rapport aux routines, un désir d'innovation, une démarche volontariste, une politique originale ;
2. travailler pour que l'ensemble des acteurs (parents, élèves, enseignants et autre personnel) développe, actualise et formalise une représentation claire des objectifs, de la démarche, des étapes, du calendrier du projet d'établissement. Prendre une part importante dans la formulation orale et écrite, tant du consensus que des divergences identifiés ;
3. représenter le projet à l'extérieur dans des réseaux ou face à diverses institutions qui peuvent faciliter ou entraver sa mise en œuvre ;
4. anticiper les obstacles, proposer des méthodes pour les analyser et les surmonter ;
5. organiser le travail en commun, le débat et la décision, leur préparation (groupes et documents de travail) ;
6. veiller à l'équilibre des influences des divers acteurs, empêcher la marginalisation de ceux qui ont l'impression de ne pas être entendus ou qui sont déçus par l'évolution du projet ;
7. identifier et mobiliser des ressources externes de formation, de supervision ou de médiation, au gré des besoins ;
8. pousser l'établissement, dans toutes ses composantes, à l'autoévaluation, à l'exercice de la lucidité collective [...].

Le tableau suivant fournit des énoncés de questions au comité de pilotage afin d'animer les discussions entourant chacune des étapes d'élaboration du projet éducatif, du plan de réussite et de la reddition de comptes.

Tableau 5 : Énoncés de conditions favorisant l'élaboration du projet éducatif, du plan de réussite et de la reddition de comptes[28]

Communication	• Les gens touchés par le dossier ont-ils pu exprimer leurs besoins, leurs attentes et leurs opinions ? • Les objectifs, les rôles, les pouvoirs, les responsabilités et les tâches sont-ils clairs pour chacun ? Ont-ils été compris de la même façon ?
Information	• Quels moyens s'est-on donnés pour s'assurer de recueillir l'information pertinente sur le suivi des opérations, les satisfactions ou insatisfactions, les enthousiasmes ou les inquiétudes émis par les acteurs engagés dans le déroulement des activités ? • Les données recueillies sont-elles pertinentes et complètes ?
Mobilisation	• A-t-on mené des actions en vue de motiver et d'encourager les gens individuellement et collectivement ? • Ont-elles été suffisantes ? • A-t-on garanti le soutien, les conseils ou le perfectionnement requis ? Se sont-ils révélés appropriés ? • A-t-on répondu aux besoins exprimés ?
Participation	• A-t-on permis et assuré une contribution et une participation maximales des personnes ? • La représentativité a-t-elle été assurée et respectée ? • Comment les problèmes et les conflits qui surgissent en cours de route ont-ils été résolus ?
Leadership	• A-t-on suffisamment influencé et s'est-on laissé influencer ? • La cohérence entre les intentions et l'action est-elle présente ? • Le cap sur l'atteinte des objectifs est-il maintenu ? • Les bonnes décisions sont-elles prises au bon moment ? • Les ajustements nécessaires sont-ils apportés ?
Ressources	• A-t-on choisi les bonnes ressources ? En qualité et en nombre suffisant ? • Les ressources sont-elles utilisées judicieusement ? • A-t-on confié les bonnes tâches aux bonnes personnes ?
Conditions	• Les conditions physiques et matérielles de travail sont-elles appropriées, respectueuses des conventions, des politiques, des normes et des autres contraintes ? • L'échéancier est-il respecté ?

Le tableau qui suit constitue une grille de réflexion pour le comité de pilotage tout au long de la démarche.

Tableau 6 : La dynamique de projet dans notre établissement

	Un cadre commun d'action	**Actuel**	**Souhaitable**
Analyse de la situation	Les membres de notre équipe-école…		
	❑ ont des perceptions partagées du contexte de vie des élèves et de leurs besoins.	1 2 3 4	1 2 3 4
	❑ comprennent les attentes des parents et du milieu au regard de l'établissement.	1 2 3 4	1 2 3 4
	❑ reconnaissent les forces et les faiblesses de l'établissement.	1 2 3 4	1 2 3 4
	❑ connaissent l'impact de leurs actions chez les élèves dans :		
	– leur cheminement scolaire	1 2 3 4	1 2 3 4
	– leurs apprentissages	1 2 3 4	1 2 3 4
	– leur développement personnel et social.	1 2 3 4	1 2 3 4
	L'inspiration partagée à agir		
Projet éducatif ↑	Les membres de notre équipe-école…		
	❑ adhèrent à la mission de l'établissement.	1 2 3 4	1 2 3 4
	❑ sont solidaires dans la poursuite d'orientations partagées.	1 2 3 4	1 2 3 4
	❑ sont solidaires dans la poursuite d'objectifs partagés.	1 2 3 4	1 2 3 4
ou	❑ précisent des indicateurs de résultat et de processus.	1 2 3 4	1 2 3 4
↓ **Plan de réussite**	❑ collaborent à l'atteinte de cibles communes pour l'établissement.	1 2 3 4	1 2 3 4
	❑ collaborent à l'atteinte de cibles communes pour leur cycle.	1 2 3 4	1 2 3 4
	❑ mettent en place, pour les cycles et dans les classes, des moyens pour réaliser la planification collective.	1 2 3 4	1 2 3 4
Suivi	❑ observent régulièrement les indicateurs afin d'ajuster leurs actions.	1 2 3 4	1 2 3 4
	❑ évaluent périodiquement les impacts de leurs actions.	1 2 3 4	1 2 3 4

Légende : 1 = pas du tout   4 = tout à fait

Des priorités stratégiques aux orientations en lien avec les trois missions : instruire, socialiser et qualifier

Les priorités stratégiques retenues à partir du premier tableau de bord (p. 39) engendrent les orientations du projet éducatif. À l'issue de l'analyse de la situation, elles ont été classées selon leur appartenance à l'une des missions de l'école (I-S-Q). Les priorités stratégiques indiquent les axes d'intervention[29] à prendre en compte pour améliorer la réussite des élèves, par exemple : la persévérance scolaire, le climat sécuritaire dans l'établissement, l'apprentissage de la lecture. Avant d'être traduites en orientations, elles doivent satisfaire certaines exigences : être en lien avec la mission de l'école ainsi qu'avec le programme de formation.

2ᵉ tableau de bord
PASSAGE DES PRIORITÉS STRATÉGIQUES AUX ORIENTATIONS

Priorités stratégiques			Critères		
Besoin	Force	Préoccupation			
			En lien avec la mission de l'école		
			❑ Instruire	❑ Socialiser	❑ Qualifier
			En lien avec le programme de formation[30]		
			Domaine général de formation	Compétence disciplinaire	Compétence transversale
			En lien avec la mission de l'école		
			❑ Instruire	❑ Socialiser	❑ Qualifier
			En lien avec le programme de formation		
			Domaine général de formation	Compétence disciplinaire	Compétence transversale
			En lien avec la mission de l'école		
			❑ Instruire	❑ Socialiser	❑ Qualifier
			En lien avec le programme de formation		
			Domaine général de formation	Compétence disciplinaire	Compétence transversale

Les orientations

Les orientations des centres et celles du projet éducatif des écoles prennent appui sur le projet éducatif national et visent l'application, l'adaptation et l'enrichissement de ce cadre (art. 37). Centrées sur la mission de l'école, elles trouvent leur fondement dans les priorités stratégiques dégagées à l'issue de l'analyse de la situation pour répondre aux besoins des élèves.

Combien d'orientations doit-on formuler ?

Le nombre d'orientations peut varier selon les priorités stratégiques retenues. Cependant, dans la pratique, de trois à cinq orientations semblent être un nombre réaliste. Il faut considérer que des objectifs découleront de chacune de ces orientations.

La partie qui suit propose une définition de l'orientation, des critères qui la caractérisent et des éléments à prendre en compte dans sa formulation. Une grille est proposée pour faciliter le choix des orientations. Ensuite, quelques exemples sont proposés. La valorisation des orientations clôturera cette section.

Définition

Une orientation, c'est une intention éducative générale qui dirige l'action, prévisible à moyen ou à long terme, fruit d'une vision commune. C'est aussi une direction vers laquelle doit tendre l'école pour répondre à sa mission (instruire – socialiser – qualifier) et aux enjeux et défis du monde contemporain. Elle s'établit dans le respect du projet éducatif national.

Formulation

- Une orientation contient l'énoncé de l'engagement de la communauté éducative au regard d'un axe d'intervention.
- Une orientation est axée sur la réussite des élèves.
- Une orientation est formulée de manière à faciliter le choix des objectifs qui en découlent.
- Une orientation peut être assortie d'une valeur.

Par exemple : favoriser le développement de compétences artistiques et littéraires.

Dans la version du programme de formation de l'enseignement secondaire, il est mentionné que les intentions éducatives des domaines généraux de formation constituent des exemples pertinents pour formuler les orientations d'un projet éducatif local[31].

Ce qui distingue l'orientation de l'objectif

Alors que l'orientation est axée sur l'intervention de la communauté, l'objectif est centré sur le résultat attendu quant à la réussite de l'élève. Le concept d'objectif sera développé un peu plus loin dans ce chapitre.

Critères

Pour être retenue à l'intérieur du projet éducatif, l'orientation doit satisfaire à cinq critères principaux[32] :

1. **Porteuse de sens**

   Elle aide les personnes concernées par le projet éducatif à comprendre les buts, les objectifs et le sens du projet, suscite l'engagement et inspire des actions et des projets contribuant à l'accomplissement de la mission de l'école.

2. **Rassembleuse**

   Elle contribue à rapprocher les personnes et à unifier les actions et les efforts de chacun autour d'un même projet ou vers l'accomplissement d'une même mission, celle de l'établissement scolaire.

3. **Ouverte**

   Elle est suffisamment large ou transcendante pour pouvoir accueillir l'enrichissement et l'innovation visant la réussite des élèves et l'accomplissement de la mission de l'établissement scolaire.

4. **Cohérente avec la réalité de l'établissement**

   Elle s'appuie sur l'une ou l'autre des caractéristiques de l'école ou de la communauté qu'elle dessert, ou encore s'inspire d'un besoin déterminé par l'analyse de la situation de l'établissement scolaire.

5. **Pertinente quant à la mission de l'établissement scolaire**

   De façon évidente ou explicite, elle aide l'établissement scolaire à jouer pleinement son rôle et à remplir totalement sa mission.

Le tableau qui suit permet de valider les orientations selon les critères énoncés ci-dessus.

3ᵉ tableau de bord
PROJET ÉDUCATIF
Choix des orientations

Libellés des orientations	Mission de l'école	Critères	Visée[33]
	❏ Instruire ❏ Socialiser ❏ Qualifier	❏ Porteuse de sens ❏ Rassembleuse ❏ Ouverte ❏ Cohérente ❏ Pertinente	❏ Application ❏ Adaptation ❏ Enrichissement
	❏ Instruire ❏ Socialiser ❏ Qualifier	❏ Porteuse de sens ❏ Rassembleuse ❏ Ouverte ❏ Cohérente ❏ Pertinente	❏ Application ❏ Adaptation ❏ Enrichissement
	❏ Instruire ❏ Socialiser ❏ Qualifier	❏ Porteuse de sens ❏ Rassembleuse ❏ Ouverte ❏ Cohérente ❏ Pertinente	❏ Application ❏ Adaptation ❏ Enrichissement

Pour qu'une orientation soit retenue, il faut qu'elle réponde à l'ensemble des critères de la troisième colonne.

La formulation des objectifs issus des orientations sera traitée au cinquième tableau de bord (p. 68).

Quelques exemples d'orientations

Le choix des orientations découle des priorités stratégiques qui viennent conclure l'analyse de la situation. Voici quelques exemples.

Instruire

L'école prend pour orientation de :
- valoriser le souci de la santé, d'un régime de vie équilibré (domaine général de formation *Santé et bien-être*) ;
- favoriser le développement de compétences artistiques et littéraires (domaine d'apprentissage *Arts*).

Socialiser

L'école prend pour orientation de :
- promouvoir chez ses élèves les valeurs d'une démocratie pluraliste ;
- favoriser l'engagement des élèves dans l'action dans un esprit de coopération et de solidarité (domaine général de formation *Vivre-ensemble et citoyenneté*).

Qualifier

L'école prend pour orientation de :
- développer chez l'élève une meilleure connaissance de lui-même en vue de se construire un projet de vie ;
- proposer à l'élève des situations éducatives lui permettant d'entreprendre et de mener à terme des projets orientés vers la réalisation de soi et l'insertion dans la société[34] (domaine général de formation *Orientation et entrepreneuriat*).

Voici maintenant quelques exemples où se confondent orientations et objectifs[35].
- Améliorer la capacité d'attention et de concentration des élèves.
- Développer le goût de la lecture chez tous les élèves de l'école.
- Habiliter les élèves à utiliser les nouvelles technologies.

Valorisation des orientations

Article 37
Le projet éducatif de l'école contient des orientations propres à l'école et les objectifs pour améliorer la réussite des élèves. Il peut inclure des actions pour valoriser ces orientations et les intégrer dans la vie de l'école.

Par valorisation des orientations, on entend qu'une école pourrait, par exemple, fonder un théâtre si elle retenait l'orientation : « Favoriser le développement de compétences artistiques et littéraires ».

Les objectifs et les indicateurs

Le projet éducatif contient les orientations et les objectifs qui ont pour but de mener les élèves au succès. Bien que les orientations expriment un engagement de l'établissement à l'égard des élèves, les objectifs, quant à eux, constituent des énoncés de résultats à atteindre, à court et à moyen terme, découlant des orientations retenues. Ces objectifs, en lien avec la mission de l'école ou du centre, visent la réussite.

Combien d'objectifs doit-on formuler ?

La pratique montre que le nombre d'objectifs à formuler pour chaque orientation varie généralement de deux à quatre. Il faut considérer qu'à l'intérieur de ces objectifs, les cibles et la quantité de moyens sont en fonction des populations visées.

Les objectifs

La partie qui suit présente les objectifs de résultats et de processus, les composantes à prendre en compte dans leur formulation et les conditions qui les définissent. Une grille est proposée pour faciliter le choix des objectifs. Ensuite, quelques exemples et contre-exemples sont proposés. Les indicateurs qui constituent le cœur des objectifs seront abordés à la page 60.

Définition

L'objectif de résultats

Les objectifs de résultats « [...] sont les énoncés des résultats à atteindre au cours d'une période spécifique. Ils sont précis et mesurables[36] ».

Leur contenu doit porter sur la réussite des élèves (I-S-Q). Contrairement aux *objectifs opérationnels*, axés sur les actions à mener, les objectifs de résultats servent à vérifier ce que l'on obtiendra à échéance.

L'objectif de processus

Un deuxième type d'objectifs utile en milieu scolaire est « l'objectif de processus »[37]. Comme son nom l'indique, il est axé sur ce qui peut être observé en cours de réalisation, c'est-à-dire avant l'échéance prévue. C'est le type d'objectif qui renseigne les intervenants lors du suivi du plan de réussite.

Formulation

Comment formuler un objectif ?

L'objectif est généralement composé...
1. d'un verbe choisi en fonction de l'intention (augmenter, réduire, maintenir,...) ;
2. de son indicateur principal ;
3. de sa cible ;
4. d'une population visée ;
5. d'une échéance.

Les figures qui suivent illustrent les composantes d'objectifs de résultats et de processus.

Figure 7 : Les composantes d'un objectif de résultats

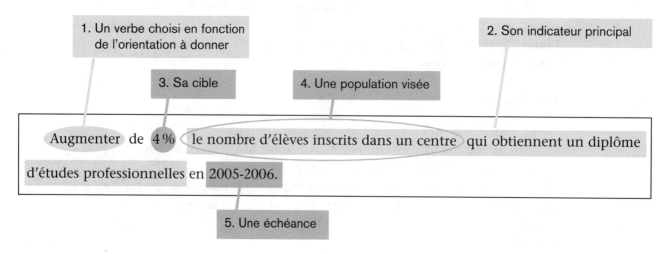

Figure 8 : Les composantes d'un objectif de processus

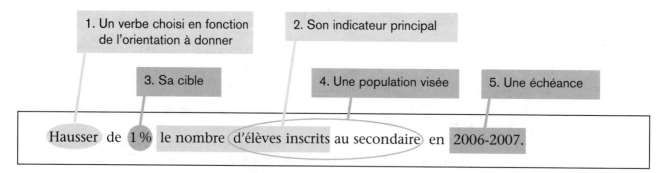

D'autres formulations, comportant les mêmes composantes, sont acceptables. Par exemple, le nombre d'élèves inscrits au secondaire en 2006-2007 sera haussé de 1 %.

Quelques exemples d'objectifs

Les exemples qui suivent sont classés sous chacune des missions de l'école québécoise (instruire – socialiser – qualifier). Dans chacun d'eux, les mots en caractères gras désignent la population visée, le verbe est souligné en pointillé, l'indicateur est souligné d'un trait continu, l'échéance est en caractères italiques et les cibles sont encadrées.

Instruire

Au terme de leur 2e cycle, augmenter de 10 % le nombre d'élèves capables d'utiliser le traitement de texte.

À la fin du 3e cycle, **tous les élèves** auront atteint l'échelon 10 de la compétence « lire des textes variés ».

Socialiser

Les élèves du premier cycle <u>diminueront</u> de moitié <u>le nombre de comportements agressifs lors des récréations</u> *entre novembre 2005 et mars 2006.*

En 2004-2005, tous les élèves **ayant des troubles du comportement qui sont intégrés au troisième cycle** <u>seront capables de se conformer aux règles établies par les groupes auxquels ils appartiennent.</u>

Qualifier

<u>Hausser</u> de 5 % <u>le taux d'assiduité</u> **des élèves en alphabétisation** *à la fin de l'année scolaire 2005.*

<u>Réduire</u> de 30 % <u>le taux d'abandon</u> **des élèves inscrits au programme d'éducation internationale** *d'ici 2005-2006.*

Les objectifs présentent-ils toujours des cibles chiffrées ?

Dans le *Guide sur les indicateurs*[38], on mentionne qu'il existe deux possibilités quant à la précision de l'objectif.

« <u>Très précis</u>, il comprend l'intention (augmenter, diminuer, maintenir, améliorer) et précise les objets, les champs et les clientèles sur lesquels on veut agir ; l'indicateur et la cible sont aussi inclus dans le libellé. »[39]

Par exemple : Augmenter de 5 % le taux de réussite en français chez les élèves de 6e année suivant le programme d'anglais intensif.

« <u>Plus général</u>, il exprime l'intention et précise le champ et la clientèle, ou seulement l'un des deux, visés par le résultat, mais il ne comprend pas explicitement l'indicateur et la cible. »[40]

Par exemple : Augmenter le taux de réussite en français des élèves de 6e année.

Les motifs invoqués permettant de porter son choix sur l'objectif « très précis » ou « plus général » sont les suivants :
« Il est toujours préférable de formuler un objectif de façon plus générale lorsque le résultat souhaité comporte plusieurs facettes et que celles-ci requièrent plusieurs indicateurs, donc plusieurs cibles distinctes. »[41]

Au sens d'une gestion axée sur les résultats, les objectifs du projet éducatif devraient contenir les mesures à atteindre. Cela se fait aisément lorsqu'une même cible s'applique à l'ensemble de la population de l'établissement visée par l'objectif retenu. Toutefois, comme dans plusieurs cas, des cibles sont différentes en raison des besoins et des constats de différentes populations, la pratique nous amène à adopter une approche plus souple. Il faut que tous se reconnaissent dans le projet éducatif.

Donc, afin de ne pas alourdir l'énonciation des objectifs dans le projet éducatif, l'objectif retenu contiendra un verbe choisi en fonction de la direction à donner (augmenter, réduire, etc.) et un indicateur principal. Puis, c'est dans le plan de réussite que le même objectif sera repris, à volonté, assorti de ses particularités (populations, cibles et échéances diverses).

Critères d'un objectif de résultats

Un objectif de résultats doit répondre à divers critères énoncés dans le tableau qui suit.

Tableau 7 : Les critères d'un objectif de résultats

Critères	Définitions
Univoque	Il ne laisse place à aucune interprétation.
Spécifique	Il décrit précisément le résultat recherché.
Mesurable	Le résultat visé est quantifiable ou porté sur une échelle graduée.
Réalisable	Il respecte les moyens, les capacités ou la compétence des personnes responsables de sa réalisation.
Fixé dans le temps	Il prévoit le moment où le résultat devrait être atteint.
Contrôlable	Il peut être régulé en cours de réalisation.

Le tableau qui suit permet de vérifier si les objectifs formulés répondent aux critères d'objectifs de résultats.

4e tableau de bord

GRILLE D'ANALYSE DES CRITÈRES D'UN OBJECTIF DE RÉSULTATS

Orientation :						
Objectifs	**Critères**					
	Univoque	Spécifique	Mesurable	Réalisable	Fixé dans le temps	Contrôlable

Quelques exemples d'objectifs dont la formulation est fautive[42]

Lorsque les objectifs sont mal formulés, les intervenants risquent de ne pas se sentir mobilisés et engagés par le projet éducatif. Des exemples tirés de la pratique montrent qu'ils sont parfois confondus avec des orientations, des moyens, des intentions générales ou des activités du plan d'action relevant d'une gestion administrative. Les exemples qui suivent montrent une méconnaissance des qualités d'un bon objectif.

1. **Des moyens relativement précis**
   - Dès la maternelle, dépister les enfants à risque.
   - Maintenir et approfondir le soutien linguistique.
   - Offrir aux élèves un service d'aide aux devoirs et aux leçons.
   - S'approprier la démarche de résolution de problèmes selon l'approche Défi Mathématiques.
   - Développer le portfolio comme outil d'évaluation à tel cycle.
   - Mettre sur pied des stages en milieu de travail pour les élèves atteints de déficience intellectuelle.
   - Vers le Pacifique – diminution de la violence.

2. **Des moyens vagues**
   - Offrir un meilleur encadrement à nos élèves à l'heure du dîner.
   - Sensibiliser, soutenir et informer les parents pour une meilleure compréhension de certaines problématiques que vivent les jeunes.

3. **Des orientations ou des objectifs opérationnels (non de résultats)**
   - Développer l'estime de soi et les habiletés sociales chez les élèves.
   - Faire participer les élèves à leurs apprentissages.
   - Développer le goût de la lecture chez tous les élèves de l'école.
   - Outiller les élèves pour le marché du travail.

4. **Des intentions si générales qu'il sera difficile de les évaluer**
   - Aider les élèves à résoudre leurs conflits.
   - Placer les élèves dans un contexte de réussite en fonction des nouveaux paramètres de la réforme.
   - Améliorer le climat de l'école.

5. **Des intentions si multiples qu'il sera difficile de les évaluer**
   - Améliorer la motivation scolaire, l'estime de soi et les habiletés sociales des élèves.

6. Des éléments du plan d'action de la direction

- Offrir aux élèves un service de repas chauds.
- Assurer une formation continue aux enseignants et des activités d'implantation et d'appropriation de la réforme.
- Favoriser un climat de collaboration au sein de l'équipe de tel cycle
- Faire la promotion du code de vie.
- S'approprier le nouveau projet éducatif : tout le personnel de l'école et les parents.

Et la planification stratégique ?

Comme le projet éducatif local doit tenir compte du plan stratégique, il convient que l'établissement s'assure d'avoir intégré les préoccupations de la collectivité, à tout le moins celles qui peuvent concerner son milieu. Alors que les conseils d'établissement déterminent les objectifs du projet éducatif, ils prennent le temps de préciser, par la même occasion, les objectifs du plan stratégique auxquels l'école ou le centre souscrit. Par ailleurs, ils peuvent s'inspirer du plan stratégique de leur commission scolaire pour énoncer des objectifs qui répondraient à leurs priorités stratégiques.

Les indicateurs

La section qui suit présente la notion d'indicateur qui est au cœur de la triade « objectif – indicateur – cible », trois composantes à la base de la mesure des résultats. C'est en effet par la combinaison de l'objectif, de l'indicateur et de la cible qu'on exprime le résultat attendu[43]. Afin d'effectuer le suivi du plan de réussite qui sera abordé au chapitre suivant, il est nécessaire d'identifier les indicateurs qui serviront de balises au cours du processus de réalisation du plan de réussite et lors de l'évaluation des objectifs et des orientations du projet éducatif.

Les indicateurs, est-ce nouveau ?

La notion d'indicateurs appliquée au domaine de l'éducation n'est pas nouvelle, malgré ce que l'on véhicule depuis l'avènement des plans de réussite. En effet, le ministère de l'Éducation utilise plus souvent les indicateurs de type quantitatif, pour permettre d'évaluer et de comparer les résultats obtenus par les élèves québécois avec ceux d'autres pays. Cependant, depuis l'adoption du projet de loi 82 sur l'administration publique, « l'approche axée sur les résultats, associée à l'obligation de reddition de comptes, mène à une utilisation plus généralisée et plus structurée des indicateurs [...][44] ».

L'importance des indicateurs en éducation

Dans une approche de gestion axée sur les résultats, le choix des indicateurs est primordial puisque ceux-ci permettent aux établissements et à la commission scolaire d'évaluer si les objectifs visés ont été atteints.

« La FCSQ (2002) précise que les indicateurs permettent de comparer les données d'un programme, d'une activité avec celles d'une situation de référence. Par ailleurs, ils permettent de porter un jugement par rapport à ce qui est observé et d'apporter des correctifs.

Enfin, les indicateurs contribuent généralement à préciser les résultats recherchés et favorisent l'exploitation de l'information qualitative et quantitative, utile à la gestion de l'activité du programme.

En éducation, ils devraient servir à mesurer ce que l'on privilégie. Par ailleurs, ils aident à vérifier dans quelle mesure sont atteints les objectifs pouvant témoigner de la réalisation de la mission éducative. »[45]

Depuis l'avènement des plans de réussite, le ministère de l'Éducation a rendu accessibles des indicateurs nationaux[46] aux écoles et aux commissions scolaires. Les commissions scolaires montrent de l'intérêt pour ces indicateurs, en raison, principalement, de leur utilité pour l'élaboration de leur plan stratégique.

Dans la partie qui suit, il sera davantage question des indicateurs locaux, c'est-à-dire ceux que l'on trouve dans les plans de réussite des établissements. Pour ce faire, le ministère de l'Éducation et ses partenaires ont rendu disponible un répertoire d'indicateurs afin de soutenir les établissements dans la démarche d'élaboration, de réalisation et d'évaluation du plan de réussite. Ces indicateurs sont « proposés à titre de suggestion pouvant faciliter les étapes du processus de développement institutionnel au regard de la réussite des élèves [...] [47] ».

Qu'est-ce qu'un indicateur ?

C'est un informateur, un signe concret, un fait observable. L'indicateur renseigne sur ce que l'on examine. Il « est une mesure représentative d'un résultat. Il permet d'évaluer l'atteinte du résultat par rapport à sa cible[48] ». « L'indicateur naît d'un besoin d'information. Il doit donc être pertinent et utile. Il présente à la fois un bilan ponctuel et une évolution dans le temps. [...] Ils (les indicateurs) servent à mesurer ce que l'on privilégie et non à privilégier ce que l'on mesure. Bien qu'ils puissent révéler un problème, ils ne fournissent jamais l'analyse de la solution ».[49]

La formulation des indicateurs

Dans sa forme initiale, l'indicateur est neutre, c'est-à-dire qu'il désigne une information sans qu'une valeur ou une appréciation ne lui soit associée. C'est la cible qui l'accompagne qui lui apporte une valeur ou une appréciation, ce qui sera vu un peu plus loin.

Tout d'abord, mentionnons les deux types d'indicateurs les plus fréquemment utilisés : les indicateurs quantitatifs et les indicateurs qualitatifs.

Les catégories d'indicateurs

L'indicateur quantitatif

« Les indicateurs quantitatifs ont trait à l'incidence ou à la quantité d'événements par rapport à une échelle quelconque. Ils rendent compte, sous forme chiffrée, de ce qui arrive ou de la réalité.

Les données qui les composent sont recueillies au moyen de méthodes qui produisent des informations chiffrées (moyenne, pourcentage, proportions...) à la suite d'analyses statistiques simples ou plus complexes. »[50]

Exemples d'indicateurs quantitatifs :
- Le nombre d'élèves participant aux activités parascolaires.
- Le taux de réussite en mathématique à la fin du 1er cycle.
- Le taux de réussite des élèves aux épreuves ministérielles (enseignement secondaire)[51].
- Le nombre de nouveaux élèves inscrits en alternance travail-études[52].

L'indicateur qualitatif

L'indicateur qualitatif rend compte d'une appréciation, d'une description. L'adoption de ce type d'indicateurs demande des choix, fait suite à des décisions faisant appel au jugement et à l'interprétation d'une situation donnée ou d'une retombée.

Exemples d'indicateurs qualitatifs :
- La principale compétence intellectuelle développée par les élèves.
- Les actes de violence entre élèves.
- Les programmes de formation professionnelle les plus populaires.

Comment obtenir un indicateur qualitatif ?
- L'observation des personnes (par ex. : grilles).
- L'entrevue individuelle ou de groupe (par ex. : questionnaires ouverts ou fermés).
- L'analyse de contenu de documents (par ex. : travaux d'élèves ou contenus de relevés statistiques du MEQ).

Un indicateur est-il toujours chiffré ?
- L' indicateur <u>quantitatif</u> est toujours chiffré.
- L'indicateur <u>qualitatif</u> est observable, mais non mesurable[53]. Il ne comporte donc pas de cible.

Qualitatif ou quantitatif, quel indicateur choisir ?

Dans son rapport annuel de 1998-1999, le Conseil supérieur de l'éducation[54] rappelle que l'approche quantitative, axée sur les résultats, attire l'attention sur les changements significatifs et les dysfonctionnements, tandis que l'approche qualitative, orientée sur le processus, permet de mieux comprendre ce qui se cache sous les statistiques et d'identifier les aspects sur lesquels faire porter l'intervention.

En cours d'exercice, la mesure par les indicateurs permet de suivre la progression des activités vers l'atteinte des résultats.

Lien entre les indicateurs quantitatif et qualitatif

Voici un exemple illustrant le lien que peuvent entretenir deux indicateurs de types différents.

Figure 8 : Lien entre les indicateurs quantitatif et qualitatif

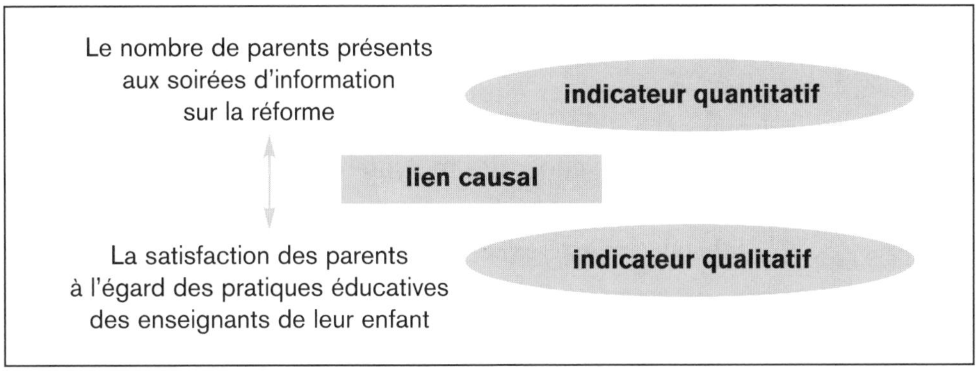

Dans l'exemple de la figure 8, on peut supposer qu'un nombre élevé de parents présents est un heureux constat. Qu'en est-il toutefois si leur présence en grand nombre est, en fait, l'expression d'insatisfactions ou d'inquiétudes quant aux nouvelles pratiques qu'entraîne la réforme ?

Si l'on ne considère que l'indicateur quantitatif, on obtient une information partielle que seul l'indicateur qualitatif viendra compléter.

Combien d'indicateurs doit-on formuler ?

Il a été vu précédemment que l'objectif comprend un indicateur principal, mais d'autres indicateurs peuvent être utilisés pour évaluer un objectif pour les raisons énoncées dans ce qui suit.

« Comme l'indicateur ne mesure qu'un seul aspect ou une seule dimension d'un phénomène, il peut y avoir plusieurs indicateurs pour mesurer l'atteinte d'un même objectif. L'indicateur doit représenter le meilleur choix possible pour mesurer le résultat attendu ou un de ses aspects. »[55]

En priorité, il convient donc de choisir les plus pertinents et les plus significatifs quant à l'objectif que l'on veut voir se concrétiser. Des critères pour établir le choix d'indicateurs sont proposés ci-après.

Les critères

C'est à partir de critères qu'il sera possible de déterminer le degré d'atteinte des objectifs.

« Bien conçus, ils aident à vérifier dans quelle mesure sont atteints les objectifs pouvant témoigner de la réalisation de la mission éducative. En ce sens, les indicateurs doivent préciser le niveau et la qualité des résultats attendus par les mesures du plan d'action. »[56]

L'élaboration d'indicateurs constitue une étape importante, puisque c'est par leur précision, leur caractère explicite, que des données pourront être obtenues quant au degré et à la nature des résultats attendus en fonction des objectifs visés.

Les cinq critères énoncés au tableau 8 sont généralement retenus pour évaluer un programme ou un plan d'action et peuvent guider les établissements dans le choix des indicateurs.

Tableau 8 : Critères servant à déterminer les indicateurs

Critères	Définitions
Cohérence	Rapport logique entre l'objectif visé et les moyens retenus pour l'atteindre
Pertinence	Ce qui doit être évalué est bien représenté. On fournit exactement les données pour répondre à la question ou au problème évoqué. Il décrit précisément le résultat recherché.
Clarté	La mesure et l'information sont claires, facilement compréhensibles par le public et expliquent suffisamment comment le résultat a été obtenu.
Fiabilité	Les résultats sont complets, sans erreurs et non biaisés. Ils sont vérifiables et obtiennent un degré élevé de confiance et de certitude.
Comparaison	Les résultats peuvent être comparés avec d'autres renseignements ou d'autres données, ainsi qu'avec d'autres résultats d'années antérieures ou en provenance d'organismes semblables. On peut établir des similitudes et des différences de manière très fiable.

Types d'indicateurs

Les indicateurs les plus souvent utilisés dans une approche axée sur les résultats sont les indicateurs de l'objet, d'opérations (ou opérationnel), de mise en œuvre (ou de pilotage) et de résultats. Le tableau qui suit précise à quel moment les utiliser. Les indicateurs opérationnels et de pilotage seront repris au chapitre 5 et les indicateurs de résultats, au chapitre 6.

Tableau 9 : Typologie d'indicateurs et processus de changement[57]

Analyse de la situation ➔	Plan de réussite	➔	Reddition de comptes
État initial	*Intervention*	*Suivi régulier*	*État final*
Indicateur de l'objet	Indicateur d'opérations ou opérationnel	Indicateur de mise en œuvre ou de pilotage	Indicateur de résultats
• Situation de départ • Temps « zéro »	• Moyens mis en œuvre	• Résultats intermédiaires	Évaluation : • Réussite • Impact • Rendement • Performance

Voici des précisions sur la typologie d'indicateurs du tableau précédent :
- *L'indicateur de l'objet* concerne le constat de départ.
- *L'indicateur opérationnel* désigne le moyen ou l'activité à mener pour atteindre un résultat.
- *L'indicateur de mise en œuvre ou de pilotage* fournit « des résultats intermédiaires, lorsqu'il n'est pas possible de connaître à court terme les résultats escomptés ; ils permettent de cerner les progrès réalisés (par ex. : suivi du nombre d'inscriptions en formation professionnelle en attendant de pouvoir constater la progression du nombre de personnes diplômées) ; ils font également état des étapes à franchir lors de l'implantation de réformes[58]. »
- *L'indicateur de résultats* permet « d'apprécier les progrès visés ou accomplis par rapport à une cible. Les indicateurs de résultats doivent notamment permettre de suivre l'évolution d'une situation par rapport au passé[59]. »

Nous avons vu jusqu'à maintenant les deux premiers éléments de la triade « objectif–indicateur–cible ». La cible, troisième élément, accorde une valeur à l'indicateur. Ce concept est traité dans la section suivante.

Les cibles

Le concept de cible est abordé ici en raison du lien qu'il entretient avec l'indicateur. Toutefois, il sera approfondi au chapitre 5 intitulé « Le plan de réussite ». Les cibles « sont des **valeurs visées** relativement à des indicateurs. Elles viennent préciser le niveau d'atteinte des objectifs qui est souhaité. [...] L'écart entre la cible fixée et le résultat observé conduit à un jugement ou à une évaluation qui peut entraîner une mise à jour du diagnostic et une correction des objectifs et des stratégies[60]. »

« Une cible précise et fixe le niveau d'atteinte d'un résultat en relation avec l'objectif. Elle doit être définie en termes précis et mesurables sur une période donnée. »[61]

Mentionnons ici qu'une cible quantitative est chiffrée (nombre, taux, proportion, etc.) alors que la cible qualitative est non chiffrée, mais peut être mesurée (appréciation, description).

Comment fixer une cible ?

La qualité de la cible fixée dépend en grande partie d'une bonne analyse de la situation. Les constats relevés à l'analyse de la situation constituent les indicateurs de l'objet (indicateurs de départ ou « temps zéro ») associés à des objectifs. Ces constats, comme il a été vu précédemment, devraient être de type quantitatif et qualitatif. Cette combinaison permet ainsi de mieux cerner la réalité.

« Il est très important de déterminer si la situation de départ est véritablement normale ou si elle a été exposée à des facteurs susceptibles de l'avoir faussée. »[62]

Bien entendu, il convient aussi de considérer l'intention générale de l'orientation et le sens que prend l'objectif. Dans le cas où des constats obligent l'amélioration des résultats, il sera nécessaire de formuler une cible plus élevée que la valeur associée à l'indicateur de l'objet (situation de départ) ; s'il s'agit de maintenir les résultats obtenus, la cible pourra être de même valeur que celle de l'indicateur de l'objet, etc.

Par ailleurs, lorsqu'il s'agit de fixer des cibles quantitatives, souvent exprimées en pourcentage, il vaut mieux, d'abord, la déterminer en nombre, afin de voir le réalisme de ce que l'on vise. Par exemple, une augmentation de 5 % du taux de réussite peut représenter cinq élèves dans un cycle, mais un seul dans une classe de vingt élèves.

La figure qui suit illustre le passage de la situation de départ jusqu'à la détermination de la cible.

Tableau 10 : Passage de l'indicateur de l'objet à la cible de l'indicateur de résultat

Pour bien déterminer la cible, il faut :
• retenir les indicateurs pertinents (savoir ce que l'on peut en tirer) ;
• combiner les deux types d'indicateurs (qualitatif et quantitatif) ;
• identifier des liens entre les indicateurs.

Pour qu'une cible soit bien déterminée, elle doit être **réaliste** et **stimulante** pour les intervenants qui auront à mettre en place les moyens pour l'atteindre. Une cible peu « ambitieuse » n'offre pas de défi, alors qu'une cible qu'il l'est trop démobilise les personnes en raison des efforts trop élevés ou impossibles à consentir pour l'atteindre. Parfois, il peut s'agir aussi de situations où le pouvoir d'action des intervenants sur le changement est faible.

La norme ou le seuil de réussite acceptable

Enfin, une fois la cible fixée, il conviendra d'établir une norme. « La norme est le degré souhaité de l'atteinte des cibles. »[63] Elle consiste donc en un seuil acceptable qui permettra, lors de l'évaluation, de déterminer si les intervenants sont satisfaits du résultat obtenu lorsque celui qui avait été prévu n'a pas été atteint.

Le cinquième tableau permet de consigner les orientations retenues et d'en dégager des objectifs à partir des priorités stratégiques identifiées.

Au chapitre 4, nous avons étudié de quelle façon il fallait énoncer une orientation. Pour passer de l'orientation à l'objectif, il était nécessaire d'aborder les concepts d'objectif et d'indicateur.

Le tableau de bord à la page suivante reprend ce qui a été retenu dans les deux premiers (orientations et priorités stratégiques). Les constats sont issus des priorités stratégiques. Il s'agit de la situation de départ observée lors de l'analyse de la situation. La valeur désigne la mesure qui accompagne l'indicateur, par exemple : 80 % des élèves qui participent aux activités parascolaires. L'objectif sera formulé à partir de l'indicateur assorti d'un verbe précisant la direction à donner (réduire, augmenter, etc.).

Le deuxième bloc permet de préciser la catégorie et le type d'indicateur : quantitatif ou qualitatif, de résultats ou de pilotage. Le troisième bloc offre la possibilité de préciser le degré du pouvoir d'action qu'a l'école sur l'indicateur suggéré si un changement est jugé nécessaire.

67

Dans la partie de droite, on propose une liste de qualités auxquelles doivent satisfaire les indicateurs (cohérence et pertinence à l'égard de l'objectif, clarté, etc.).

Dans la dernière colonne, on note si l'indicateur est retenu ou non. Pour qu'il soit retenu, ce dernier doit répondre à un nombre élevé de qualités et, dans le cas où une amélioration devrait être apportée, l'école doit avoir un pouvoir d'action élevé sur le changement souhaité.

5ᵉ tableau de bord

PASSAGE DE L'ORIENTATION À L'OBJECTIF ET CHOIX DES INDICATEURS

Orientation									
Priorités stratégiques									
Constats									
Indicateur de l'objet (au départ)		**Catégories et types d'indicateurs**				**Pouvoir d'action**			**Qualités de l'indicateur**	**Indicateur retenu**	
Valeur	Indicateur	Quantitatif	Qualitatif	De résultat	De pilotage	Beaucoup	Peu	Pas du tout	❏ Cohérence ❏ Pertinence ❏ Clarté ❏ Fiabilité ❏ Comparaison	Oui	Non
Objectifs (verbe et indicateur)											
• •											

Chapitre 5

Le plan de réussite

Le plan de réussite est un concept assez récent qui a été mis de l'avant à l'automne 2000 par le ministre de l'Éducation d'alors, M. François Legault. Dans un document intitulé *Le plan de réussite pour une école primaire*[64], il est dit que « les plans de réussite sont présentés dans la déclaration finale du Sommet du Québec et de la jeunesse, comme des moyens pour atteindre une qualification de 100 % des jeunes ».

Il ajoute que le plan de réussite est « [...] un instrument de travail permettant à tous les acteurs de l'établissement de se mobiliser afin de lever les obstacles à la réussite et de créer les conditions favorables à la réussite éducative de toutes les personnes, jeunes et adultes ». Bref, on doit viser « l'amélioration de la réussite ».

Des chantiers étaient proposés pour tous les ordres d'enseignement :
- Pour le primaire et le secondaire : des objectifs mesurables à atteindre pour améliorer la réussite avec un horizon de trois ans.
- Pour les centres d'éducation des adultes : des objectifs mesurables pour améliorer la fréquentation, la progression dans le cheminement et la réussite, et des renseignements qualitatifs sur le projet de formation des adultes.

Dans ce même document, le ministre conviait les intervenants des écoles à se doter d'un plan de réussite assorti d'objectifs et de cibles. Le tableau 11 en présente quelques exemples.

**Tableau 11 : Exemples d'objectifs, d'indicateurs et de moyens
pour chaque ordre d'enseignement**

Apprentissage et cheminement scolaire		
Objectif	**Indicateur**	**Moyen spécifique**
Au primaire Réduire à moins de X % la proportion d'élèves en retard.	% d'élèves en retard en 2e année du primaire.	Mettre sur pied un groupe de travail formé d'enseignants et d'enseignantes du 1er cycle pour développer leurs compétences à évaluer les élèves en retard.
Au secondaire Réduire de X % la proportion des élèves qui décrochent au 1er cycle du secondaire.	% des élèves sortants sans diplôme au 1er cycle du secondaire.	Offrir des services de soutien aux apprentissages mieux adaptés et s'assurer de la progression des élèves.
À l'éducation des adultes Accroître de X % le nombre d'élèves dans les services d'alphabétisation.	Le nombre de nouveaux élèves dans les services d'alphabétisation.	Mettre en œuvre, par l'intermédiaire de l'équipe-centre, des moyens pour communiquer avec la population peu alphabétisée.
Augmenter de X % le nombre d'élèves obtenant les préalables à la formation professionnelle.	Le nombre d'élèves obtenant les préalables à la formation professionnelle.	Établir un diagnostic sur les raisons du faible taux d'obtention des préalables à la formation professionnelle, déterminer son bien-fondé et mettre en œuvre divers moyens pour corriger la situation.

Le lien entre le projet éducatif et le plan de réussite

Avant l'adoption du projet de loi 124, on voyait peu de rapports entre le projet éducatif et le plan de réussite. Depuis lors, chacun des deux est bien défini et les liens qu'ils entretiennent illustrent leur spécificité. Ainsi, le projet éducatif offre une assise au plan de réussite et ce dernier permet au projet éducatif de « prendre vie ».

Le tableau suivant illustre le passage du projet éducatif au plan de réussite et les différentes étapes à franchir. Dans la troisième colonne, la zone « tampon » désigne l'approche souple décrite dans le chapitre précédent concernant le choix de la détermination de cibles dans le projet éducatif ou dans le plan de réussite.

Tableau 12 : Étapes à franchir du projet éducatif au plan de réussite
jusqu'à la reddition de comptes

Projet éducatif		Zone « tampon »	Plan de réussite (triennal)				Reddition de comptes
Orientations	Objectifs – Indicateurs	Cibles	Moyens[65]	Modes d'évaluation	Suivi	Évaluation	Publication
Définir une intention générale.	• Identifier le résultat à atteindre pour une période donnée (objectif). • Indiquer une mesure représentative d'un résultat (indicateur).	Fixer une valeur à atteindre relativement à l'indicateur.	Déterminer les activités, les ressources et l'échéancier.	Déterminer les instruments d'évaluation des objectifs et les sources d'information.	• Observer la réalisation du plan. • Ajuster les moyens utilisés.	Comparer le résultat atteint et la cible visée.	• Rédiger le rapport annuel. • Transmettre le rapport aux parents, à la communauté et à la commission scolaire.

Le plan de réussite est triennal. Comme les objectifs à traiter proviennent du projet éducatif, il conviendra de déterminer, à l'avance, quels seront les objectifs retenus pour chacune des années ; un objectif peut être repris durant trois ans, en raison de la cible à atteindre, et d'autres ne seront poursuivis qu'un an ou deux, selon les résultats obtenus.

La démarche globale du plan de réussite

Une fois que le projet éducatif a été adopté par le conseil d'établissement, l'équipe-école s'emploie donc à concevoir le plan de réussite. Ce dernier se déroule en trois temps :
- *la planification*, parfois qualifiée à elle seule de « plan de réussite »,
- *la réalisation* ou sa mise en œuvre et son suivi, et
- *l'évaluation*.

Au même titre que le projet éducatif, le plan de réussite exige l'engagement de l'équipe-école.

L'en-tête des tableaux de bord qui suivent comprend généralement l'orientation et l'objectif issus du projet éducatif ainsi que l'orientation et l'axe d'intervention, ou l'objectif, de la planification stratégique de la commission scolaire dont l'école s'est inspirée pour retenir l'objectif traité.

Lorsque plusieurs objectifs doivent être traités, un nouveau tableau doit être utilisé. De la même façon, si un même objectif vise diverses populations ou entraîne le choix de cibles ou d'indicateurs différents, l'emploi d'un tableau additionnel est requis.

La planification

Parfois qualifiée à elle seule de « plan de réussite », l'étape de planification est, sans contredit, l'étape la plus importante. C'est aussi celle où, généralement, les équipes-écoles se sentent le plus à l'aise, car son contenu plus « concret » se rapproche davantage de la vie de la classe.

Projet éducatif ou plan de réussite
Le choix des cibles ou des résultats attendus

Le sixième tableau de bord sert à déterminer des cibles. Les indicateurs qui ont été retenus dans le cinquième tableau de bord (page 68) sont repris dans la partie gauche du tableau. À nouveau, on inscrit s'il s'agit d'indicateurs quantitatifs ou qualitatifs ; tel qu'il a été mentionné précédemment dans ce chapitre, l'équilibre entre les deux est utile pour bien décrire la réalité. S'il s'agit d'un indicateur quantitatif, on indique sa valeur.

Dans la partie de droite, des critères permettant de déterminer les cibles ou les résultats attendus qui viennent préciser les indicateurs sont proposés. Voici quelques critères retenus.

Comparaison avec les années antérieures : les résultats obtenus pour cet indicateur au cours d'années antérieures peuvent constituer des repères pour établir la cible.

Comparaison avec les résultats d'un milieu semblable : les résultats obtenus pour cet indicateur par des écoles provenant d'un milieu socioéconomique semblable peuvent être des balises pour déterminer la cible à atteindre.

Efficacité éprouvée des moyens mis en place : les résultats de recherches, d'études, de projets-pilotes ayant déjà fait leurs preuves peuvent suggérer des cibles réalistes à atteindre.

D'autres critères peuvent être considérés par les équipes-écoles.

Une fois les critères appliqués, on fixe une cible réaliste. La dernière colonne sert à déterminer la « norme ». Tandis que la cible est une visée sur plusieurs années, la norme peut constituer une « cible annuelle » du résultat attendu ou un « seuil de résultat annuel acceptable ». Cet élément est particulièrement utile lorsque vient le temps de procéder à l'évaluation annuelle des objectifs (performance des résultats). Les éléments permettant de fixer une norme sont les tendances des années antérieures, les effets des changements de personnel et ceux qui ont trait aux encadrements légaux et ministériels.

La détermination des cibles et des normes est réalisée dans une approche collaborative.

6e tableau de bord

PROJET ÉDUCATIF OU PLAN DE RÉUSSITE – PLANIFICATION
Choix des cibles ou des résultats attendus
Année scolaire _____-_____

PROJET ÉDUCATIF			PLANIFICATION STRATÉGIQUE DE LA COMMISSION SCOLAIRE				
Orientation			**Orientation**				
Objectif			**Axe d'intervention ou objectif**				
Population visée							
Indicateurs retenus	**Types d'indicateurs**	**Valeurs (état initial)**	**Critères pour fixer les cibles**			**Cibles**	**Normes**
	❏ Quantitatif ❏ Qualitatif		❏ Comparaison avec les résultats obtenus au cours d'années antérieures ❏ Comparaison avec les résultats d'un milieu semblable ❏ Attentes élevées quant aux moyens mis en place ❏ Autre :				
	❏ Quantitatif ❏ Qualitatif		❏ Comparaison avec les résultats obtenus au cours d'années antérieures ❏ Comparaison avec les résultats d'un milieu semblable ❏ Attentes élevées quant aux moyens mis en place ❏ Autre :				

La Loi sur l'instruction publique mentionne que le plan de réussite doit contenir les moyens à prendre en fonction des orientations et des objectifs du projet éducatif, notamment les modalités relatives à l'encadrement des élèves (art. 37.1). Le plan de réussite doit comporter, par ailleurs, les modes d'évaluation de sa réalisation. C'est donc ce qui sera maintenant abordé. Comme les modes d'évaluation concernent principalement les objectifs, nous allons tout d'abord les déterminer dans le septième tableau de bord ; puis le choix des moyens constituera le huitième tableau.

Plan de réussite

La planification des modes d'évaluation

À cette étape, les indicateurs de résultats et leurs cibles sont fixés. Dans l'en-tête du tableau de bord, on reprend l'objectif ainsi que la population visée. Puis, dans la première colonne, on peut inscrire un indicateur et sa cible. Dans la deuxième colonne, on consigne les instruments prévus pour vérifier l'atteinte de l'objectif ou sa progression. Les instruments peuvent être constitués de grilles d'observation, de canevas d'entrevues individuelles ou de groupes, de questionnaires, de grilles d'analyse, etc. La troisième colonne propose des critères permettant d'évaluer si l'instrument peut être retenu (cohérence et pertinence). De plus, on peut indiquer si les instruments existent. Dans le cas où ils sont à construire, on détermine un responsable pour effectuer ce travail. Ensuite, on porte un jugement sur le maintien ou non de l'instrument d'évaluation. Si un indicateur se trouve sans instrument, il convient d'en poursuivre la recherche. Ensuite, on indique l'échéance de la collecte de l'information pour juger de l'atteinte du résultat attendu. Il importe également de déterminer la fréquence à laquelle les intervenants discuteront de la mise en œuvre des moyens permettant d'atteindre l'objectif visé. Lorsqu'une activité est nouvellement mise en œuvre, des rapports d'observation fréquents sont nécessaires. À cet égard, un responsable est nommé. Pour terminer, on précise l'information sur la collecte et le traitement des données.

Tout au cours de la réalisation, il importe de consigner les résultats obtenus, car ils déterminent la performance des objectifs et permettent d'en mesurer l'efficacité. Le concept *d'efficacité* sera abordé dans le chapitre 6 portant sur l'évaluation formelle du plan de réussite.

7e tableau de bord
PROJET ÉDUCATIF OU PLAN DE RÉUSSITE – PLANIFICATION
Modes d'évaluation
Année scolaire _____-_____

PROJET ÉDUCATIF		PLANIFICATION STRATÉGIQUE DE LA COMMISSION SCOLAIRE		
Orientation		**Orientation**		
Objectif		**Axe d'intervention ou objectif**		
Population visée				
Indicateurs et cibles	**Instruments d'évaluation prévus**	**Critères de choix des instruments d'évaluation**	**Instruments d'évaluation retenus**	**Échéancier et responsable**
Indicateur : Cible :		Les instruments d'évaluation… ❏ sont *cohérents* avec l'objectif et sa cible. ❏ sont *pertinents* (degré de fiabilité élevé). ❏ sont *existants*. ❏ sont à *rechercher* ou à *construire* par : _____ .		Échéance : _____ Fréquence : _____ Par : _____
La collecte et le traitement des données… ❏ sont faciles ❏ sont rapides ❏ sont à faible coût ❏ nécessitent peu d'effectifs				

Plan de réussite

Les modalités relatives à l'encadrement des élèves

Depuis le rapport Parent jusqu'à nos jours, l'encadrement se conjugue avec l'une ou l'autre des formules comme le titulariat, le tutorat, les équipes de formation, le groupe stable d'élèves, l'aide à l'apprentissage, etc. Les différentes formules d'encadrement ont pour fonctions principales de soutenir, de guider et d'accompagner les élèves non seulement dans leur cheminement scolaire, mais aussi dans leur développement personnel et social. La mise en place d'une réforme, principalement axée sur un meilleur suivi du cheminement scolaire de chaque élève, a remis à l'ordre du jour l'importance d'un encadrement de qualité pour assurer la réussite du plus grand nombre.

« Les mesures d'encadrement pédagogique les plus répandues dans les écoles secondaires touchent les communications avec les parents, la récupération, le rattrapage, les activités de mise à niveau, les groupes stables et le tutorat. »[66]

« Les principales mesures d'encadrement pédagogique en application dans les établissements d'enseignement secondaire sont :

1. le regroupement des élèves en unités plus réduites
2. le titulariat
3. la charge de groupe
4. le tutorat
5. les groupes stables
6. le mentorat ou aide par les pairs
7. la récupération, le rattrapage, les activités de mise à niveau
8. l'aide aux devoirs et aux leçons
9. les périodes d'étude inscrites à l'horaire
10. les communications avec les parents sous plusieurs formes
11. les équipes restreintes de personnes enseignantes responsables d'un ou de plusieurs groupes d'élèves
12. le temps de concertation et le travail d'équipe entre personnes enseignantes, autres que les journées pédagogiques et les activités de perfectionnement. »[67]

Certaines mesures citées précédemment peuvent aussi être appliquées dans les établissements du primaire ou dans les centres.

La planification des moyens

Les modes d'évaluation sont désormais établis. Il s'agit maintenant de déterminer les moyens, ou les activités, à mettre en œuvre pour réaliser l'objectif retenu. Dans le huitième tableau de bord, on peut inscrire deux indicateurs et leurs cibles respectives dans le cas d'indicateurs quantitatifs, mais un seul indicateur peut suffire. Dans la première colonne, il s'agit maintenant de déterminer les activités ou les moyens à mettre en place pour atteindre l'objectif visé. On peut préciser s'il s'agit d'un moyen déjà entrepris ou d'un nouveau moyen. Les moyens, actions ou activités, peuvent varier dans chaque groupe de travail, l'équipe-cycle par exemple.

La deuxième colonne propose des critères permettant de juger de la pertinence de retenir le moyen (ou l'activité) énoncé dans la première colonne. Le moyen est digne d'intérêt lorsqu'il satisfait au moins les deux premiers critères. Les réponses obtenues à la deuxième colonne permettent d'établir, dans la colonne suivante, si, oui ou non, le moyen, ou l'activité, est retenu. Si aucun moyen, ou activité, n'est déterminé, il faut poursuivre la démarche. Les moyens retenus peuvent ne pas être employés par l'ensemble des intervenants. Chacun d'eux peut n'en retenir qu'un seul, ou deux, au choix. Une fois les moyens retenus, on inscrit, dans la quatrième colonne, les coûts et les ressources nécessaires pour sa réalisation. Les ressources dont il est question ici portent sur les moyens mis en place par les intervenants œuvrant auprès des élèves : ressources humaines, matérielles et financières. Les dates de disponibilité des ressources sont à déterminer dans la dernière colonne. Un responsable des ressources humaines et matérielles est à nommer.

Concernant les ressources, un suivi devra être effectué à cet égard, compte tenu de la nécessité de mesurer l'efficience. Ce concept sera abordé dans le chapitre 6 portant sur l'évaluation formelle du plan de réussite.

8ᵉ tableau de bord
PLAN DE RÉUSSITE – PLANIFICATION
Planification des moyens
Année scolaire _____-_____

PROJET ÉDUCATIF		PLANIFICATION STRATÉGIQUE DE LA COMMISSION SCOLAIRE	
Orientation		**Orientation**	
Objectif		**Axe d'intervention ou objectif**	
Population visée			

Indicateur :	Cible :
Indicateur :	Cible :

Activités et moyens envisagés	Critères de choix de moyens ou d'actions	Action et moyen retenus	Ressources et coûts	Échéancier et responsable
_____ ❑ Moyen déjà entrepris ❑ Nouveau moyen	Le moyen est … ❑ cohérent avec l'objectif. ❑ pertinent pour répondre à la problématique soulevée dans l'analyse de la situation. ❑ efficace, des résultats ont déjà été obtenus par ce moyen.	❑ Oui ❑ Non	❑ Les ressources humaines nécessaires sont disponibles. ❑ Le matériel existe déjà. ❑ Le matériel est à concevoir. ❑ Les coûts prévus sont : _____	Date de disponibilité : des ressources humaines : _____ du matériel : _____ Responsable :
_____ ❑ Moyen déjà entrepris ❑ Nouveau moyen	Le moyen est … ❑ cohérent avec l'objectif. ❑ pertinent pour répondre à la problématique soulevée dans l'analyse de la situation. ❑ efficace, des résultats ont déjà été obtenus par ce moyen.	❑ Oui ❑ Non	❑ Les ressources humaines nécessaires sont disponibles. ❑ Le matériel existe déjà. ❑ Le matériel est à concevoir. ❑ Les coûts prévus sont : _____	Date de disponibilité : des ressources humaines : _____ du matériel : _____ Responsable :

Plan de réussite

Le tableau synthèse de la planification

Le neuvième tableau de bord constitue la synthèse de la planification. Il présente un aperçu final de l'ensemble des démarches qui mèneront à la réalisation du plan de réussite. Pour chaque objectif, on trouve d'une part, la population visée, un indicateur de résultats et sa cible et, d'autre part, les modes d'évaluation de l'objectif incluant les instruments de mesure, les responsables de l'évaluation, la fréquence du suivi et l'échéance à laquelle une mesure de l'objectif sera prise. Ces éléments constituent ce qui, au sens de la loi, doit être déterminé et évalué dans le plan de réussite. Avant de remplir ce tableau, il est donc nécessaire de franchir les étapes proposées aux pages précédentes.

Quant à la fréquence, il est préférable qu'un indicateur soit évalué plus d'une fois par année. Un établissement vigilant s'informe de façon continue de l'état et de la progression de ses résultats dans le but d'apporter des correctifs, en cours d'année ou avant l'échéance fixée, pour l'atteinte de la cible.

« Cependant, il arrive que des indicateurs ne puissent être mesurés qu'une fois ou deux par an [...] compte tenu du type de collecte de données (compilations manuelles, sondages auprès du personnel ou des clientèles). »[68]

Par ailleurs, il est suggéré de prévoir des intervalles plus courts lorsque les indicateurs expriment les résultats obtenus à la suite de la mise en œuvre d'une nouvelle activité.

PLAN DE RÉUSSITE – PLANIFICATION
Tableau synthèse
Année scolaire _____-_____

PROJET ÉDUCATIF			PLANIFICATION STRATÉGIQUE DE LA COMMISSION SCOLAIRE	
Orientation			**Orientation**	
Objectif			**Axe d'intervention ou objectif**	
Population visée				
INDICATEUR			**MODES D'ÉVALUATION DE L'OBJECTIF**	
Indicateur de l'objet	Cible	Norme (seuil acceptable)	Instruments de mesure : • _____ • _____ • _____	
			Responsables : • _____ • _____ • _____	
			Fréquence : _____ Échéance : _____	

Plan de réussite

Les besoins de formation et les ressources nécessaires

Afin de mettre en place les moyens prévus dans le plan de réussite, il peut être nécessaire pour l'équipe-école de recourir à la formation ou aux mises à jour. Le comité de pilotage peut donc identifier des besoins à combler pour les divers groupes d'intervenants ou de partenaires. Il peut s'agir de formation pour l'équipe-école (direction, enseignants, professionnels, personnel administratif et de soutien) portant sur de nouvelles pratiques pour le milieu, comme le travail d'équipe.

Dans le tableau de bord suivant, on trouve de nouveau l'orientation et l'objectif issus du projet éducatif. Dans les colonnes, les différents groupes pour lesquels une formation peut être utile (comité de pilotage, direction de l'école, personnel enseignant, autre personnel) sont indiqués.

Pour chacun de ces groupes, on détermine le besoin de formation proprement dit (le sujet de formation et la période pendant laquelle une formation doit être dispensée), les ressources humaines nécessaires, par exemple, les services éducatifs de la commission scolaire. De façon générale, les ressources humaines peuvent être des individus ou des groupes de personnes.

Enfin, le tableau suivant permet de consigner les ressources matérielles et financières pour répondre aux besoins de formation.

10e tableau de bord

PLAN DE RÉUSSITE – PLANIFICATION
Besoins de formation et ressources nécessaires
Année scolaire _____-_____

PROJET ÉDUCATIF			PLANIFICATION STRATÉGIQUE DE LA COMMISSION SCOLAIRE		
Orientation			**Orientation**		
Objectif			**Axe d'intervention ou objectif**		
Population visée					

Besoins de formation								
ÉLÉMENTS	Comité de pilotage	Date	Membres de la direction	Date	Personnel enseignant	Date	Autre personnel	Date
Sujets de formation	❑ ❑ ❑ ❑		❑ ❑ ❑ ❑		❑ ❑ ❑ ❑		❑ ❑ ❑ ❑	

Ressources humaines nécessaires (personnes-ressources ou groupes)								
❑ À consulter : ❑ À inviter : ❑ À convoquer : ❑ À _____	❑ ❑ ❑ ❑		❑ ❑ ❑ ❑		❑ ❑ ❑ ❑		❑ ❑ ❑ ❑	

Ressources matérielles nécessaires								
❑ Documents à préparer : ❑ Grilles à préparer : ❑ Lectures à proposer : ❑ Convocations à envoyer :	❑ ❑ ❑ ❑		❑ ❑ ❑ ❑		❑ ❑ ❑ ❑		❑ ❑ ❑ ❑	

Ressources financières nécessaires								
❑ Montant : ❑ Poste budgétaire : ❑ Autre source :	❑ ❑ ❑		❑ ❑ ❑		❑ ❑ ❑		❑ ❑ ❑	

La réalisation

Maintenant que la planification est terminée, l'équipe-école met en œuvre le plan de réussite. Puisque la plupart des membres sont interpellés par ce dernier et que des actions doivent être menées individuellement, il est nécessaire que chacun ait en sa possession les documents énonçant les objectifs qui les concernent. Les tableaux de bord de la partie « Réalisation » sont conçus pour consigner des observations, comme dans un journal de bord.

Plan de réussite

Le journal de bord des intervenants et des responsables

Ce tableau a été conçu pour que chaque intervenant (ou partenaire) puisse consigner les moyens à mettre en place quant aux indicateurs et aux objectifs qui les concernent. En principe, l'échéancier a été déterminé à l'étape précédente. Dans la dernière colonne, il est possible de noter diverses données, au fur et à mesure de la réalisation du plan. Lors des rencontres périodiques des équipes, les participants peuvent transmettre aux responsables du comité de pilotage leurs copies respectives de ce tableau.

11e tableau de bord

PLAN DE RÉUSSITE – RÉALISATION
Journal de bord des intervenants et des responsables
Année scolaire _____-_____

Intervenant(e)		Projet éducatif	
Fonction		**Orientation**	
Population visée		**Objectif**	
Indicateur		**Évaluation du moyen ou des activités**	
		Le moyen prévu a-t-il été utilisé ? ❏ Oui ❏ Non Si non, pourquoi ?	
Indicateur de l'objet	**Cible**		
		Le moyen a-t-il été appliqué de la bonne façon ? ❏ Oui ❏ Non	
Activité ou moyen mis en place		Le moyen a-t-il eu l'effet souhaité ? ❏ Oui ❏ Non	
		Le moyen a-t-il eu d'autres effets positifs ? ❏ Oui ❏ Non Si oui, lesquels ?	
		Le moyen a-t-il eu des effets pervers ? ❏ Oui ❏ Non Si oui, lesquels ?	
		Le moyen utilisé était-il le meilleur pour atteindre l'objectif ? (pertinence) ❏ Oui ❏ Non	
Échéancier			

L'évaluation en cours de réalisation et le suivi du plan de réussite

Le comité de pilotage doit assurer les mécanismes de suivi du plan de réussite en cours de réalisation. Cela signifie principalement qu'il doit veiller à ce que les moyens mis en place permettent de garder le cap sur l'atteinte des objectifs visés, c'est-à-dire que ces derniers entraînent un changement positif ou qu'ils contribuent à maintenir des forces. Il s'agit alors de réguler la situation. La régulation est un processus qui permet à un système de se maintenir en état d'équilibre. Quelle que soit la nature du système, une régulation suppose une circulation de l'information et une adaptation aux pressions de l'environnement.

Ainsi, périodiquement, les membres du comité de pilotage prennent connaissance des observations des intervenants et des partenaires quant aux moyens mis en place et jugent de la pertinence de ces derniers. La fréquence des rencontres du comité a été prévue au neuvième tableau de bord.

Dans le cas où les actions ne débouchent pas sur le succès, les membres du comité invitent les intervenants à proposer des correctifs à mettre aussitôt en place, ou à accorder le temps nécessaire pour que le moyen puisse faire ses preuves.

Si la régulation est nécessaire, par exemple en mettant en place de nouveaux moyens, ces derniers devront être cohérents avec la triade « objectif – indicateur–cible ».

La figure ci-dessous illustre la démarche de régulation[69].

Figure 9 : Régulation des moyens

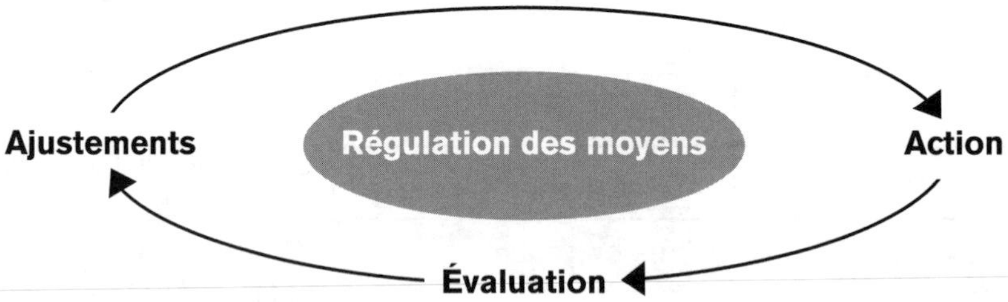

Plan de réussite

L'agenda du comité de pilotage (évaluation des moyens)

Le comité de pilotage peut utiliser le tableau de bord qui suit pour consigner les observations nécessaires en vue d'assurer les mécanismes de suivi. Ce tableau peut être utilisé pour l'évaluation des moyens mis en place par l'équipe-école.

12ᵉ tableau de bord
PLAN DE RÉUSSITE – SUIVI
Évaluation des moyens et agenda du comité de pilotage
Année scolaire _____-_____

Intervenant(e)		Projet éducatif	
Fonction		**Orientation**	
Population visée		**Objectif**	

Responsables :	**Préparation de l'évaluation annuelle ou périodique** (données recueillies en cours de réalisation)
Moyens mis en place ❏ _____ ❏ _____ **Ressources consenties :** • Humaines : _____ • Matérielles : _____ • Financières : _____ **Fréquence :** **Échéance :**	_____ _____ _____ _____ _____ _____ _____ _____ _____ _____ _____
Pertinence A-t-on choisi les bons moyens ? **Efficience** A-t-on bien utilisé les ressources consenties ?	Jugement porté sur la *pertinence des moyens* (ou des activités) et de *l'efficience des ressources* en lien avec l'atteinte de l'objectif : _____ _____ _____ _____ _____
Décision Les moyens mis en place sont … ❏ à échéance ❏ à poursuivre ❏ à abandonner	

Plan de réussite

Évaluation annuelle des objectifs et bilan

Le plan de réussite doit faire l'objet d'une évaluation annuelle. Le tableau de bord qui suit permet au comité de pilotage de consigner les éléments essentiels au bilan annuel qui sera remis au conseil d'établissement.

Le comité de pilotage ou la direction[70] :

- analyse, à l'aide d'indicateurs prédéfinis dans les plans, les écarts entre les résultats prévus et les résultats obtenus ;
- explique les écarts à l'aide d'événements circonstanciels, du déroulement des activités et de tout autre facteur pertinent (difficulté, contrainte, etc.) ;
- détermine les mesures correctives à apporter ;
- détermine la performance (niveau d'atteinte de l'objectif) ;
- indique les impacts ressentis.

13ᵉ tableau de bord
PLAN DE RÉUSSITE
Évaluation annuelle des objectifs et bilan
Année scolaire _____-_____

PROJET ÉDUCATIF		PLANIFICATION STRATÉGIQUE DE LA COMMISSION SCOLAIRE	
Orientation		**Orientation**	
Objectif		**Axe d'intervention ou objectif**	
Population visée			

Premier indicateur			
Indicateur de départ :		Jugement porté sur le résultat obtenu :	Cause expliquant les écarts entre la cible et le résultat obtenu :

Cible	**Norme**	**Résultat obtenu**		
			❑	
			❑	

Deuxième indicateur			
Indicateur de départ :		Jugement porté sur le résultat obtenu :	Cause expliquant les écarts entre la cible et le résultat obtenu :

Cible	**Norme**	**Résultat obtenu**		
			❑	
			❑	

Performance	**Décision**	**Régulation**
Quel est le niveau de l'atteinte de l'objectif ? ❑ Confort ❑ Satisfaisant ❑ Haute surveillance ❑ Critique	❑ À maintenir ❑ À modifier ○ adapter ○ enrichir	Ajustements à apporter dans le prochain plan de réussite, s'il y a lieu.
		Si des effets positifs ou négatifs ont été constatés, les indiquer ici.

Dans le tableau de bord, la performance, ou le niveau d'atteinte, de l'objectif est notée de la façon suivante[71] :

- Le niveau *confort* indique que la progression dépasse les prévisions et laisse présager que la cible sera atteinte sans problème. Si le dépassement est vraiment important, il peut être opportun d'observer ce qui se passe dans les environnements interne et externe.
- Le niveau *satisfaisant* signifie que la progression suit le cours prévu ou qu'elle ne s'en éloigne pas trop. La cible intermédiaire est atteinte ou le résultat est légèrement inférieur.

- Le niveau *haute surveillance* indique que l'évolution du résultat est assez en dessous du résultat attendu, mais certains facteurs non prévisibles permettent d'expliquer cet écart alors que d'autres permettent d'espérer un rattrapage. Le comité de pilotage et la direction doivent trouver les causes de l'écart. Une régulation, par exemple une action de redressement, peut être entreprise pour éviter une plus grande détérioration de la situation.

- Le niveau *critique* signifie que le résultat est très nettement inférieur au résultat attendu à l'étape mesurée et commande un redressement énergique pour progresser vers la cible ou atteindre une partie satisfaisante à la fin de la période de référence. Il peut arriver qu'un établissement ne réagisse qu'à ce stade, par exemple, lorsqu'un nouveau programme ou service est mis en place et que les résultats sont difficiles à prévoir.

Le questionnaire qui suit peut être utilisé par le comité de pilotage afin d'actualiser le plan de réussite de l'année suivante.

Tableau 13 : Suivi lors du bilan annuel

Constats	Quels résultats avons-nous atteints ?	
	Quels besoins ont été satisfaits ?	
	Quel est le degré de satisfaction ?	
	Y a-t-il des besoins nouveaux ?	
	D'où émergent-ils ?	
Action	Que décidons-nous de faire ?	
	Lectures	Recherches	Réflexions	Échanges

Lors du bilan annuel, des remises en question sur les orientations du projet éducatif peuvent émerger. Il importe de les noter afin de les traiter lors de l'évaluation périodique du projet éducatif. L'échéance du plan de réussite peut être l'occasion de revoir le projet éducatif.

Dans le quatorzième tableau de bord, un espace est prévu afin de consigner les propositions de modifications d'orientations du projet éducatif.

Chapitre 6

L'évaluation formelle du plan de réussite et du projet éducatif

Ce chapitre porte sur l'évaluation formelle du plan de réussite et du projet éducatif. Pour le premier, il s'agit d'une démarche triennale ; pour le second, un calendrier quinquennal est prévisible. L'évaluation formelle du plan de réussite et du projet éducatif mènera à la reddition de comptes qui sera abordée dans le prochain chapitre.

Avant tout, définissons quelques concepts relatifs à l'évaluation.

Quelques définitions

L'évaluation

L'évaluation est une démarche qui a pour but de déterminer si la situation nouvelle correspond aux objectifs qui étaient poursuivis au départ. En d'autres termes, le projet de changement a-t-il permis de faire évoluer la situation de départ dans le sens désiré[72] ?

Elle détermine également si l'ensemble des coûts directs et indirects engendrés par la mise en œuvre du changement ont été conformes aux prévisions. Enfin, elle consiste à examiner si le changement a entraîné des effets secondaires indésirables[73].

Dans cette définition, on trouve, dans l'ordre, les concepts sous-jacents de performance, d'efficacité et d'efficience. Voici plus de précisions.

L'efficacité[74]

L'efficacité est la mesure du rapport entre les résultats obtenus et les cibles déterminées.

L'efficience[75]

L'efficience est la mesure du rapport entre les biens produits ou les services livrés et les ressources utilisées. Ce rapport est établi en fonction du niveau de services requis (qualité des services).

La performance[76]

La performance est le degré d'atteinte des cibles d'une organisation.

Deux types d'indicateurs de résultat

L'indicateur de performance

Il s'agit d'un « indicateur de résultat obtenu par rapport aux objectifs visés par les activités ou actions prévues dans un projet d'intervention (ou dans un programme ou une politique). Les indicateurs de performance permettent de constater si les objectifs visés au point de départ ont été atteints, ou si le projet d'intervention a réellement donné lieu aux résultats attendus. Cela met en relief *l'efficacité* des projets ou programmes ou politiques [...] [77] ».

L'indicateur de rendement ou *rapport « qualité-prix »*[78]

Il s'agit d'un indicateur de résultat obtenu relativement aux objectifs visés, par rapport aux moyens, aux ressources, etc., utilisés pour produire ce résultat. Cela met en relief *l'efficience* des projets, des programmes ou des politiques.

Dans nos établissements scolaires, on évalue plus fréquemment la performance des actions et plus rarement l'efficacité, l'efficience et le rendement. Dans les pages qui suivent, des grilles permettant d'évaluer plus particulièrement la performance, l'efficacité et l'efficience sont proposées.

Le dernier tableau de bord du chapitre 5 porte sur l'évaluation annuelle du plan de réussite. Maintenant, pour l'évaluer de façon formelle, c'est-à-dire au terme des trois années, il est suggéré de consigner dans un tableau de bord, intitulé *Registre d'indicateurs*, la progression des résultats obtenus par rapport aux cibles.

Le registre, ou l'historique des indicateurs, est à compléter lors du bilan annuel. Il permet d'observer l'évolution de chacun des objectifs du projet éducatif ou du plan de réussite (performance). Il vise plus précisément les indicateurs quantitatifs.

Le tableau qui suit permet d'expliquer, lors de la reddition de comptes, l'écart entre la cible et le résultat.

14ᵉ tableau de bord
PROJET ÉDUCATIF OU PLAN DE RÉUSSITE TRIENNAL
Registre d'indicateurs et mesure de l'efficacité

PROJET ÉDUCATIF			PLANIFICATION STRATÉGIQUE DE LA COMMISSION SCOLAIRE		
Orientation			**Orientation**		
Objectif			**Axe d'intervention ou objectif**		
Indicateurs	**Indicateurs de l'objet**	**Cibles**	**Résultats obtenus**		
			200__ –200__	200__ –200__	200__ –200__
1.					
2.					
Performance Quel est le niveau de l'atteinte de l'objectif ?		☐ Confort	☐ Satisfaisant	☐ Haute surveillance	☐ Critique
Année scolaire	**Jugement**		**Décision**		
200__ –200__					
200__ –200__					
200__ –200__					
Efficacité à échéance (Rapport entre la cible et le résultat obtenu)					

Le tableau suivant permet de consigner les éléments nécessaires pour établir l'efficience des objectifs.

15ᵉ tableau de bord.
PROJET ÉDUCATIF OU PLAN DE RÉUSSITE TRIENNAL
Évaluation formelle des objectifs et mesure de l'efficience

PROJET ÉDUCATIF		PLANIFICATION STRATÉGIQUE DE LA COMMISSION SCOLAIRE	
Orientation		**Orientation**	
Objectif		**Axe d'intervention ou objectif**	
Indicateur :			

Moyens		Ressources humaines		Ressources matérielles		Ressources financières	
• A-t-on choisi le meilleur moyen ?	❑ Oui ❑ Non	• Disponibilité des personnes-ressources	❑ Oui ❑ Non	• Disponibilité du matériel nécessaire	❑ Oui ❑ Non	• Disponibilité des ressources financières	❑ Oui ❑ Non
• A-t-on appliqué le meilleur moyen ?	❑ Oui ❑ Non	• Compétences démontrées des personnes-ressources	❑ Oui ❑ Non	• Pertinence du matériel à l'égard des moyens prévus	❑ Oui ❑ Non	• Bon rapport « qualité/prix »	❑ Oui ❑ Non

Efficience

Les moyens et les ressources utilisés ont-ils permis d'atteindre la cible ?   ❑ Tout à fait   ❑ En partie   ❑ Pas du tout

L'évaluation périodique du projet éducatif

Il est réaliste d'établir que le projet éducatif a une durée de vie de cinq ans. Après cette période, une nouvelle analyse de la situation devrait avoir lieu. Cependant, en vertu du projet de loi 124, il est prévu d'en revoir périodiquement le contenu. L'échéance d'un plan de réussite (trois ans) est une occasion propice pour un établissement de réactualiser son projet éducatif. C'est ce que nous verrons dans ce dernier tableau du chapitre.

Jusqu'à maintenant, seule l'évaluation des objectifs a été traitée. Celle-ci constitue une partie de la démarche de l'évaluation du projet éducatif. Dès lors, il faudra vérifier la cohérence des résultats obtenus avec le libellé des orientations. Le tableau suivant permet de mettre à jour les orientations du projet éducatif.

16ᵉ tableau de bord
PROJET ÉDUCATIF
Évaluation des orientations
Année scolaire _____-_____

Orientation :		
Mission de l'école ❏ Instruire ❏ Socialiser ❏ Qualifier	Visée de l'orientation ❏ Application ❏ Adaptation ❏ Enrichissement	❏ En lien avec le programme de formation[79] ❏ Tient compte du plan stratégique de la commission scolaire
Objectif :		Objectif :
Résultats obtenus :		Résultats obtenus :
Événements qui peuvent changer les orientations : ❏ ❏ ❏		Événements qui peuvent changer les orientations : ❏ ❏ ❏
Commentaires relevés en cours de réalisation du plan de réussite suggérant des ajustements à l'orientation :		Commentaires relevés en cours de réalisation du plan de réussite suggérant des ajustements à l'orientation :
Cohérence Le contenu de l'orientation est cohérent avec les résultats obtenus. Si non, préciser.		**Cohérence** Le contenu de l'orientation est cohérent avec les résultats obtenus. Si non, préciser.
Nouvelle formulation de l'orientation :		Nouvelle formulation de l'orientation :

D'autres considérations pourraient amener des ajustements aux orientations. En voici quelques-unes.

- Des résolutions adoptées par le CE.
- De nouvelles politiques nationales ou locales en vigueur.
- Des changements dans l'environnement interne et externe.
- De nouvelles exigences du MEQ.

Les indicateurs qui suivent peuvent aussi être utiles pour évaluer le projet éducatif. Ils sont proposés dans le répertoire du MEQ[80] afin d'évaluer la mobilisation des intervenants et des partenaires de l'établissement. Ils s'adressent à tous les ordres d'enseignement : FGJ (primaire et secondaire), Éducation des adultes et Formation professionnelle.

**Tableau 14 : Liste d'indicateurs portant sur la mobilisation
autour des orientations de l'établissement**

1. Mécanisme d'évaluation continue et d'ajustement du plan de réussite de l'établissement.	
2. Mécanisme d'évaluation continue et d'ajustement du projet éducatif de l'établissement[81].	
3. Nombre de personnes (élèves, membres du personnel, parents) qui disent bien connaître le plan de réussite de l'établissement.	
4. Nombre de personnes (élèves, membres du personnel, parents, etc.) qui ont participé à l'élaboration du projet éducatif.	
5. Nombre de personnes qui ont participé à l'élaboration du plan de réussite de l'établissement.	
6. Proportion de membres du personnel qui disent adhérer aux actions préconisées dans le plan de réussite de l'établissement.	
7. Proportion des élèves, des parents et du personnel qui participent à l'évaluation du projet éducatif.	
8. Proportion des membres du personnel qui disent adhérer aux orientations du projet éducatif ou du plan d'action de l'établissement.	
9. Proportion des membres du personnel qui disent connaître les grands encadrements du système d'éducation.	
10. Proportion des membres du personnel qui participent à l'évaluation du plan de réussite de l'établissement.	
11. Proportion des parents qui disent connaître les orientations et les objectifs du projet éducatif de l'établissement[82].	
12. Proportion des parents qui disent adhérer aux orientations et aux objectifs du projet éducatif de l'établissement[83].	

La reddition de comptes

Nous avons vu précédemment que l'école ou le centre doit évaluer son plan de réussite chaque année. Comme l'établissement a aussi à rendre des comptes sur les résultats obtenus à l'issue du plan triennal et du projet éducatif, ou des orientations pour le centre, ce chapitre portera sur le plan de communication et le rapport annuel. Pour débuter, voyons en quoi consiste la reddition de comptes.

Qu'est-ce que la reddition de comptes[84] ?

La reddition de comptes s'inscrit dans un processus de gestion qui vise à expliquer ou à contextualiser les activités réalisées et les résultats obtenus en fonction d'objectifs prédéterminés et, au besoin, à faire le lien avec les ressources (humaines, matérielles et financières) investies pour y arriver.

En éducation, comme l'observe de Landsheere avec justesse, « la communauté a droit qu'on lui rende des comptes à propos d'actions dont la réussite conditionne largement l'avenir des jeunes et de la société globale. En cas de carences ou d'insuffisances, les causes doivent en être recherchées et les remèdes doivent être appliqués[85] », dans les établissements d'enseignement et de formation ou à d'autres niveaux, si nécessaire. Il en va de la responsabilité pédagogique et administrative des acteurs éducatifs d'être en mesure d'expliquer les choix qui sont faits, les décisions qui sont prises, de témoigner qu'une analyse des situations difficiles ou problématiques a été faite afin d'y réagir avec à-propos.

Les principes de la reddition de comptes[86]

La reddition de comptes suppose :

1) **La clarté des rôles et des responsabilités, des pouvoirs**

   Ceux-ci doivent être bien compris et acceptés par les parties, car la reddition de comptes demande d'avoir l'autorité et l'entière responsabilité des tâches à accomplir.

2) **La clarté des attentes de rendement**

   Les objectifs poursuivis, les réalisations attendues et les contraintes à respecter doivent être explicites, compris et acceptés. Il y a nécessité d'une entente concernant l'apport de chaque partie au résultat final.

3) **L'équilibre des attentes et des capacités**

   Les attentes de rendement doivent être clairement liées à la capacité (pouvoirs, compétences et ressources) de chaque partie. « Une reddition de comptes véritable est améliorée par la clarté des liens ainsi que l'équilibre des ressources et des résultats attendus. »

4) **La fiabilité de l'information communiquée**

   Il faut présenter une information crédible, fiable, au moment opportun pour faire la preuve du rendement obtenu et de ce qui a été appris, une information appropriée pour apprécier les éléments du rendement. Donc, il y a nécessité de faire rapport de ce qui a été accompli : décrire les résultats obtenus, établir un lien entre les pouvoirs, les ressources et les mesures prises, les présenter à la lumière des attentes convenues et les communiquer dans un délai raisonnable. « Dans certaines situations, on a recours à la vérification externe pour hausser la crédibilité de l'information sur le rendement. »

5) Le caractère approprié, convivial des mécanismes d'examen et d'ajustement

« Les parties comptables examinent et commentent, de façon éclairée et informée, le rendement obtenu lorsque les réalisations et les difficultés sont constatées et que les corrections nécessaires sont apportées. »

Une reddition de comptes doit comporter des mécanismes formels et faire l'objet de suivis. Les ententes redditionnelles plus formelles sont plus solides si l'on peut développer des valeurs communes quant à la responsabilité, à la propriété, à l'intégrité et à la confiance.

Il importe de noter l'aspect formatif du processus de reddition de comptes qui amène les acteurs à s'interroger sur les résultats atteints ; la reddition de comptes peut aussi être considérée comme un exercice positif de questionnement des acteurs-décideurs qui encourage à poursuivre ou à modifier certaines approches pédagogiques ou éducatives et qui permet à chacun d'être mieux informé pour mieux former.

Les principaux défis du conseil d'établissement et des membres de l'équipe-école en vue de favoriser la reddition de comptes sont les suivants :
- assurer un leadership dans le changement de culture lié à une approche de gestion axée sur les résultats ;
- promouvoir une approche de gestion ouverte, transparente et axée sur les résultats ;
- favoriser la participation de l'ensemble des acteurs de l'établissement d'enseignement et de la communauté.

En résumé, la reddition de comptes est fondée sur le cadre légal, c'est-à-dire la Loi sur l'instruction publique (art. 83 et 110.3.1). Il s'agit d'une responsabilité collective des acteurs-décideurs tant à l'interne qu'à l'externe.

La figure de la page 96 comprend deux parties : la partie supérieure situe le contenu de la gestion pédagogique et le contenu de la gestion administrative ; la partie inférieure présente l'ensemble des opérations de la démarche d'évaluation du projet éducatif et du plan de réussite menant à la reddition de comptes.

La gestion pédagogique, en particulier la gestion du projet éducatif et du plan de réussite et leur évaluation, est rendue possible grâce à la gestion administrative. Cette dernière joue un rôle de soutien en termes de ressources humaines, matérielles, financières et de structures organisationnelles dans la réalisation de la mission éducative, du projet éducatif et du plan de réussite.

Figure 10 : L'illustration de la démarche d'évaluation du projet éducatif et du plan de réussite

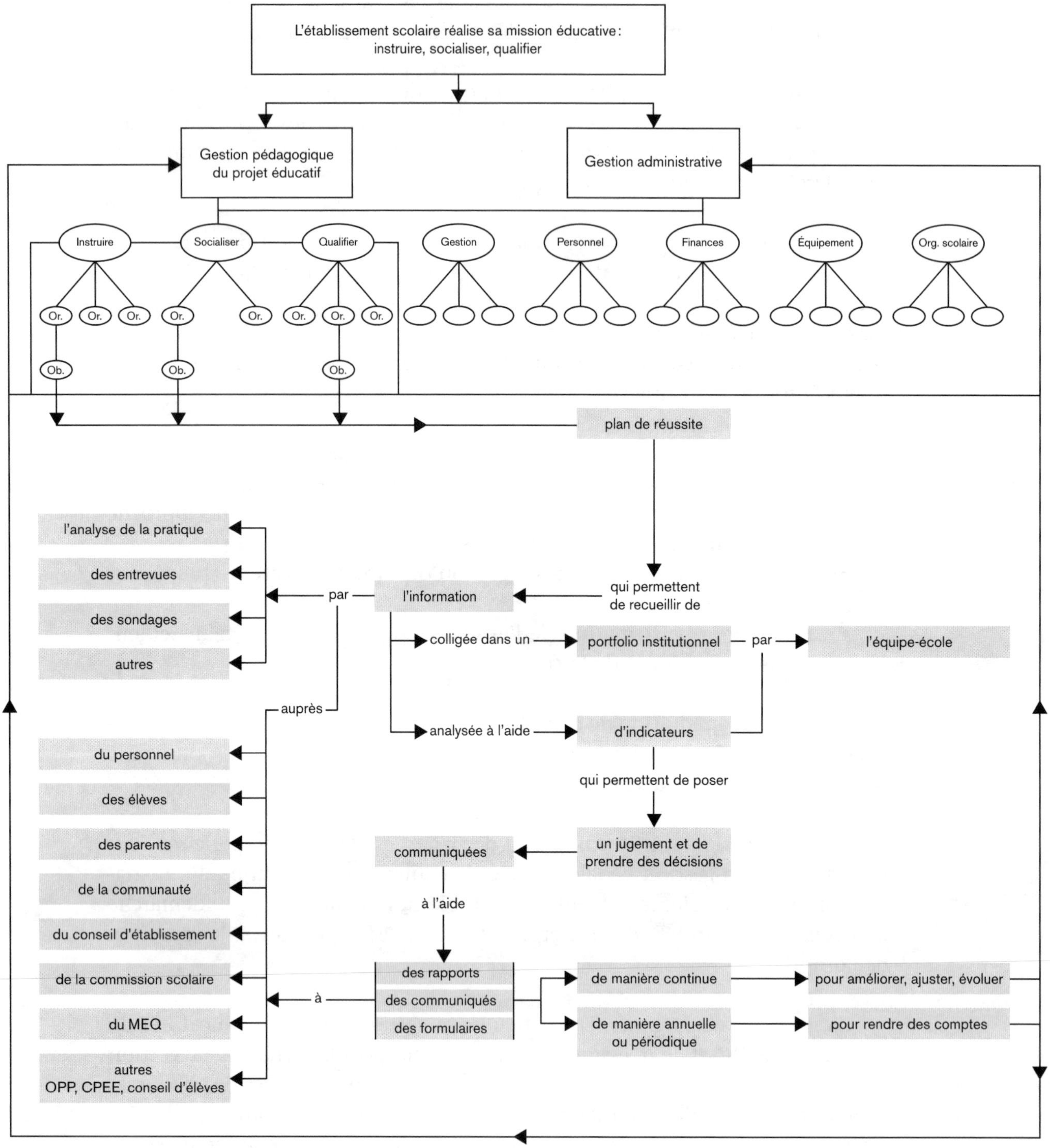

Légende :   Or. = orientation   Ob. = objectif

Rendre compte et le plan de communication

La reddition de comptes est l'obligation de répondre de l'exercice d'une responsabilité qui a été conférée au conseil d'établissement. La reddition de comptes démontre l'adéquation entre la mission, le projet éducatif, le plan de réussite, les obligations législatives, les capacités organisationnelles et les résultats atteints. Des explications accompagnent les résultats afin de mettre en contexte ce qui aura permis de les atteindre ou de les dépasser ou, au contraire, ce qui aura empêché de les réaliser.

Le contenu des treizième, quatorzième et quinzième tableaux de bord constitue la pièce maîtresse de la reddition de comptes.

Il convient de rappeler les dispositions légales qui précisent les rôles et les responsabilités de l'établissement scolaire au regard de la reddition de comptes.

- Le conseil d'établissement prépare et adopte un rapport annuel contenant un bilan de ses activités et en transmet une copie à la commission scolaire (art. 82).
- Le conseil d'établissement informe la communauté que dessert l'école des services qu'elle leur offre et leur rend compte de leur qualité. Il rend compte annuellement de l'évaluation de la réalisation du plan de réussite (art. 83).
- Le conseil d'établissement informe annuellement le milieu que dessert le centre des services qu'il offre et lui rend compte de leur qualité. Il rend compte de l'évaluation de la réalisation du plan de réussite (art. 110.3.1).

Moments privilégiés pour la diffusion de l'information relative au projet éducatif et au plan de réussite

De façon générale, comme la Loi sur l'instruction publique en crée l'obligation, il semble primordial que l'information du public soit assurée à trois périodes importantes :
- avant ou au début de l'année scolaire ;
- de façon régulière au cours de l'année scolaire ;
- au terme de l'année scolaire au moment du rapport annuel.

Les types d'information varient selon le moment. Au début de l'année, l'information pourrait porter principalement sur les objectifs visés, les indicateurs retenus, les cibles, les moyens utilisés, aspects importants du plan de réussite.

En cours d'année, l'information pourrait s'inscrire dans un calendrier de communication et porter sur le déroulement des activités et l'évolution du plan d'action.

Au terme de l'année, l'information devrait porter sur la reddition de comptes en lien avec le projet éducatif et le plan de réussite et être rendue publique dans un rapport annuel.

Pourquoi un plan de communication

Il importe que les parents, la communauté et le milieu soient bien informés sur la qualité des services offerts par l'établissement scolaire. Le plan de communication devrait renseigner les parents sur les orientations et les caractéristiques de l'établissement. De plus, il devrait rendre compte de la façon dont il répond aux besoins des élèves et la manière dont il tient compte des attentes de la population. Enfin, il fait état de l'évaluation annuelle du plan de réussite.

Les renseignements contenus dans le rapport annuel portent principalement sur les résultats obtenus en fonction des objectifs visés au regard de chaque orientation retenue en tenant compte des moyens utilisés. Le contenu du rapport annuel est utilisé pour la reddition de comptes aux parents, à la communauté et à l'ensemble du personnel de l'école. Le rapport annuel rend compte des résultats atteints en fonction des indicateurs et des cibles, et ce, pour chaque objectif du projet éducatif.

Il appartient à chaque établissement de retenir la forme de diffusion du rapport annuel qu'il trouve la plus appropriée.

Une reddition de comptes à l'interne et à l'externe

L'évaluation des résultats est, dans un premier temps, présentée à l'équipe-école à partir du bilan annuel réalisé par la direction ou le comité de pilotage. Ce bilan sert aussi à alimenter la reddition de comptes externe et à justifier les changements qui devront être apportés.

Dans le cas de la reddition de comptes à l'externe, l'établissement rend compte à la commission scolaire (art. 82 : bilan d'activités, art. 218.1, art. 220 et 221.1).

La reddition de comptes à l'externe suppose la préparation d'un rapport annuel. Le tableau de bord qui suit propose un exemple de présentation du rapport annuel.

17ᵉ tableau de bord
REDDITION DE COMPTES
Présentation de résultats
Année scolaire _____-_____

Orientation :		
Objectif :		
Indicateur	**Cibles** **200__ –200__**	**Résultats** **200__ –200__**
Évolution par rapport aux objectifs de 200__ –200__ (année précédente)		
Contribution à l'atteinte d'un objectif de la planification stratégique		
Planification stratégique :		
Orientation :		
Objectif :		

Conclusion

La réforme de 1997 a accordé à l'établissement scolaire l'autonomie et les pouvoirs pour réaliser sa mission : instruire, socialiser et qualifier les élèves dans le respect du principe de l'égalité des chances.

Comme chaque établissement scolaire vise la réussite de tous ses élèves, il est maintenant appelé à choisir le chemin qui lui permettra d'atteindre cette mission.

Le projet éducatif est l'outil privilégié pour construire ce chemin. L'établissement scolaire est ainsi appelé à définir, en tenant compte des besoins des élèves, des enjeux liés à la réussite des élèves ainsi que des caractéristiques et des attentes de la communauté, ses orientations et ses objectifs en matière de réussite.

Dans le plan de réussite, l'établissement scolaire détermine les moyens à mettre en place et établit un plan d'action. Le suivi de ce plan d'action est d'une grande importance afin d'ajuster en cours de réalisation les moyens et les activités mises en œuvre.

De même, l'évaluation des objectifs du projet éducatif et la reddition de comptes rendue formelle dans le rapport annuel sont deux opérations interreliées traduisant les résultats atteints au terme d'une période donnée.

Le choix des orientations et des objectifs, de même que la mise en application des moyens du plan de réussite, ainsi que l'évaluation des objectifs du projet éducatif, reposent sur une démarche dynamique qui sollicite la participation de tous les acteurs de la communauté éducative.

Le projet éducatif et le plan de réussite, pour qu'ils soient couronnés de succès, doivent s'inscrire dans la vie scolaire quotidienne. Ils doivent également donner un sens aux actions posées par ceux et celles qui contribuent à la réalisation de la mission de l'école.

On se rappellera que le projet éducatif mis en œuvre par le plan de réussite contribue au plein développement de l'établissement scolaire, d'où l'importance pour les acteurs de porter un regard nouveau sur l'école, de vaincre les résistances qui accompagnent ce changement et d'avoir confiance en leur capacité de mener à terme un projet rassembleur.

Lexique

Activité[87]

Procédé ou opération qui concourt à la transformation de ressources en produits et services.

Cible[88]

Énoncé de ce qu'une organisation prévoit atteindre dans une période donnée. La cible est précise et normalement quantifiable. Elle est élaborée sur la base d'un indicateur retenu dans la formulation de l'objectif auquel elle se réfère.

Critère[89]

Caractéristique d'une performance ou d'un produit; on se réfère à cette caractéristique pour mesurer ou donner son appréciation.

Efficacité

Mesure du rapport entre les résultats obtenus et les cibles déterminées.

Efficience[90]

Mesure du rapport entre les biens produits ou les services livrés, et les ressources utilisées. Ce rapport est établi en fonction du niveau de services requis (qualité des services).

Évaluation

« L'évaluation est un jugement porté. » C'est l'analyse des résultats des politiques, des organismes ou des programmes, menée en vue de dégager des conclusions fiables et utiles. Elle a essentiellement pour objectifs d'améliorer la prise de décision, l'affectation des ressources et de mieux rendre compte. L'évaluation doit s'inscrire dans un processus plus vaste de gestion des performances. Elle doit servir de levier de renforcement et d'incitateur à l'amélioration. Les modalités de réalisation de l'évaluation devraient correspondre aux besoins et aux priorités retenus.

Autres concepts liés à l'évaluation : examen, suivi, surveillance, audit, investigation, appréciation.

Évaluation de programmes[91]

Elle peut être définie comme « une appréciation analytique systématique concernant les principaux aspects d'un programme et sa valeur et qui s'attache à fournir des conclusions fiables et valables ».

« Pour que les programmes fassent l'objet d'une évaluation de leur performance et de leur pertinence, il est nécessaire de :
1. prévoir des cibles mesurables et des indicateurs de performance dès le départ ;
2. d'intégrer formellement les évaluations au processus budgétaire ;
3. d'instaurer des mécanismes de coordination ;
4. d'exiger une reddition de comptes sur la performance et la pertinence des programmes. »

Flexibilité

Capacité d'une entreprise à s'adapter aux circonstances, que celles-ci soient favorables ou défavorables, prévisibles ou imprévisibles, externes (liées à l'environnement) ou internes.

Gestion axée sur les résultats

Gérer par résultats signifie concentrer l'essentiel de son attention sur l'atteinte de résultats dans un cadre de gestion donnant le choix des moyens les plus appropriés à chaque situation.

Il s'agit d'un modèle de gestion basé sur des résultats mesurables, plutôt que sur des moyens, en fonction de cibles de performance en matière de qualité de services et de productivité.

Elle est fondée sur une responsabilisation qui comporte, d'une part, la latitude d'action dans un contexte de transparence et d'équité dans les processus, et, d'autre part, la reddition de comptes sur les résultats atteints en fonction des ressources disponibles. La gestion par résultats s'applique particulièrement bien à des unités opérationnelles.

En fonction de leurs activités, ces unités sont appelées à poursuivre des objectifs de performance variés, et ce, en privilégiant la recherche de résultats en termes de qualité de services et de productivité.

Imputabilité

L'imputabilité (néologisme québécois traduisant le terme *accountability*) est « **essentiellement un processus de reddition de comptes** ». C'est l'attribution des responsabilités à quelqu'un avec obligation d'en rendre compte. L'imputabilité implique une responsabilité accrue de la part des gestionnaires et l'engagement des élus. De la responsabilisation accrue des gestionnaires découlent une plus grande autonomie et une plus grande discrétion quant au choix des moyens. Cette responsabilité est indissociable de l'obligation (envers son supérieur) de la qualité et de la quantité des actions prises en relation avec les mandats reçus. Cette imputabilité exige la mise en place de mécanismes de reddition de comptes de la gestion administrative.

L'obligation de rendre compte des résultats, « c'est être comptable des résultats, c'est se demander si l'on fait tout ce qu'il est possible avec les pouvoirs et les ressources dont on dispose pour influer sur l'atteinte des résultats escomptés. Rendre ainsi compte des résultats, c'est faire la preuve qu'on fait une différence, que par ses actions et ses efforts, on a contribué aux résultats obtenus[92] ».

L'imputabilité est une notion distincte de la responsabilisation à laquelle elle est reliée puisqu'elle nécessite un devoir de reddition de comptes. « Elle fait référence à l'obligation de rendre des comptes sur les responsabilités, les mandats et les ressources. »

On parle d'imputabilité institutionnelle en référence à la façon dont une organisation a géré sa mission, ses ressources, ses marges de manœuvre et ses choix de priorité. « Alors que l'imputabilité personnelle réfère à la façon dont une personne a joué son rôle dans le projet de l'organisme. »

L'imputabilité en éducation doit principalement s'inscrire dans le respect du partage des responsabilités inscrites dans la L.I.P.

Indicateur[93]

Toute mesure ou tout paramètre servant à évaluer les résultats d'une organisation ou de ses composantes.

Leadership

On peut définir un bon leader comme une personne qui sait stimuler et organiser le travail de ses coéquipiers, que le cadre en soit la classe, l'école ou le système d'éducation tout entier. Pour correspondre à cette appellation, la personne doit gagner le respect et la sympathie des membres de son équipe ou de sa profession par ses qualités professionnelles et humaines.

Mission de l'école québécoise

C'est la raison d'être de l'organisation, c'est-à-dire la formulation qui en décrit le motif d'existence.

Mobilisation

La mobilisation consiste à canaliser les efforts et les énergies des individus et des groupes afin que ces derniers atteignent un ou des objectifs identifiés par l'organisation et qu'ils maintiennent leurs efforts sur une certaine période.

Objectif

Énoncé de ce qu'une organisation entend réaliser au cours d'une période définie avec quantification et ordre de priorité. Y sont accolés un ou des indicateurs sur lesquels seront établies les cibles de résultats[94].

Un objectif bien formulé devrait contenir, autant que faire se peut, l'énoncé de la mesure, c'est-à-dire son indicateur principal, et une référence permettant d'en confirmer l'atteinte ou d'en mesurer la progression.[95]

Orientation[96]

Direction générale prévisible à long terme, inéluctable ou projetée, d'une personne, d'un domaine de savoir, d'une institution ou d'une société.

Performance[97]

Degré d'atteinte des cibles d'une organisation.

Plan de réussite

Démarche dynamique par laquelle l'établissement scolaire met en œuvre **le projet éducatif** adopté par le conseil d'établissement.

Plan stratégique

La planification stratégique d'une organisation consiste à définir sa mission, ses clientèles, ses partenaires, ses grands enjeux, ses orientations, ses objectifs, ses cibles, ses moyens d'intervention et ses indicateurs de mesure. Les renseignements précités sont consignés dans un document à cette fin. La principale caractéristique d'un plan stratégique[98] est d'avoir une mission claire, des objectifs précis et des résultats mesurables.

Projet éducatif

Démarche locale **dynamique**, porteuse de **vision**, établie en concertation avec tous les partenaires de l'établissement à la suite de l'analyse de la situation en vue de réaliser la **mission éducative**: instruire, socialiser et qualifier les élèves.

Le projet éducatif est le résultat d'une réflexion collective des acteurs concernés qui conviennent d'une vision commune de l'éducation au regard des exigences de l'éducation et en fonction des spécificités et des ressources de leur milieu d'intervention.

Reddition de comptes

Il importe d'avoir une compréhension commune de la façon dont les pratiques redditionnelles peuvent devenir plus efficaces dans le contexte actuel où la décentralisation s'est accentuée et où l'on a recours à des modes différents de prestation de services.

La nécessité de rendre des comptes, de répondre de ce qu'on a accompli ou non et qui revêt de l'importance et de la valeur doit être appliquée et mise en pratique de façon adaptée en tenant compte :

- des relations « non hiérarchiques » dans de nombreux modes de prestation de services tels que les réseaux, les partenariats, les ententes ;
- de l'importance accrue de la gestion axée sur le rendement et sur les résultats par rapport à des attentes convenues.

Régulation

Processus qui permet à un système de se maintenir en état d'équilibre. Quelle que soit la nature du système, une régulation suppose une circulation de l'information et une adaptation aux pressions de l'environnement.

Responsabilisation

Elle est liée au mandat et varie selon le degré de décentralisation. Dans un contexte de décentralisation, le mandat sera défini en termes de résultats à atteindre par le choix des moyens en fonction des marges de manœuvre disponibles.

Résultats

Réalisations constatées à la fin d'une période précise et comparées à des cibles énoncées au début de la période en question.

C'est la conséquence ou l'effet d'une action. C'est le produit d'une activité, d'un plan d'action, d'un travail... C'est une réalisation concrète[100].

Tableau de bord de gestion[101]

Un tableau de bord de gestion est une façon de sélectionner, d'agencer et de présenter les indicateurs essentiels et pertinents, de façon sommaire et ciblée, en général sous forme de coup d'œil accompagné de reportage ventilé ou synoptique, fournissant à la fois une vision globale et la possibilité de « forer » dans les niveaux de détail.

Transparence[102]

Rendre public des objectifs précis partagés et mesurables et faire connaître les plans d'action ainsi que les résultats obtenus concourent à la transparence, à un partage de l'information et à une appréciation des données par les autres. La transparence est un principe qui rappelle aux administrateurs qu'ils sont tenus de rendre des comptes sur les actes qu'ils posent.

Bibliographie

ADIGECS. *L'Adigecs et l'imputabilité dans le réseau scolaire*, cité par Nicole Tardif et Johanne Munn dans leurs documents produits en collaboration (cf. infra, n° 43), 2000, p. 10.

ADIGECS. *L'Adigecs et les états généraux sur l'éducation*, 8 août 1996.

ASSEMBLÉE NATIONALE. COMMISSION DE L'ÉDUCATION, cité par Lafontaine, Royal, Tardif et autres. Dans *Session de formation sur les plans de réussite pour les directions d'établissement scolaire*, document de travail, Journal de bord des apprentissages, [Québec], Assemblée nationale (cf. infra, n° 43).

ASSEMBLÉE NATIONALE. *Loi sur l'administration publique*, [Québec], Assemblée nationale, 2000.

ASSEMBLÉE NATIONALE. *Loi sur l'instruction publique*, [Québec], [En ligne], Gouvernement du Québec, 2002. [www.meq.gouv.qc.ca/legislat/Lois/Inst-pub/lip.htm]

ASSOCIATION DES CADRES SCOLAIRES DU QUÉBEC (ACSQ) (2001). *L'évaluation des établissements d'enseignement primaire et secondaire au Québec. Un dispositif d'interaction complémentaire.*

ASSOCIATION DES CADRES SCOLAIRES DU QUÉBEC (ACSQ) (2001). *Assurance de la qualité et reddition de comptes. Rôles des services éducatifs dans l'évaluation des établissements.*

ASSOCIATION DES DIRECTRICES ET DIRECTEURS GÉNÉRAUX DES COMMISSIONS SCOLAIRES DU QUÉBEC (ADIGECS) (2002). *L'imputabilité dans le réseau scolaire.*

ATKINSON, Anthony et autres (1999). *Comptabilité de management*, Montréal, Chenelière/McGraw-Hill.

BENNIS, W. (1991). *Profession : leader*. Paris, InterÉditions.

BLAIS, J.-G., M. D. LAURIER et G. PELLETIER (1999). « Regards sur la problématique de la production des indicateurs en éducation », *Mesure et évaluation en éducation*, vol. 22, n⁰ˢ 2-3, p. 47-69.

BOUTINET, J.P. (1999). *Anthropologie du projet*, 5ᵉ éd., Paris, PUF, (1ʳᵉ éd. 1990).

BOUTINET, J.P. (1996). *Psychologie des conduites à projet*. Paris, PUF.

BOUVIER, A. (2001). *L'établissement scolaire apprenant*. Paris, Hachette Éducation.

BOUVIER, A. (1994). *Management et projet*. Paris, Hachette Éducation.

BROCH, M.H. et F. CROS (1987). *Comment faire un projet d'établissement.* Lyon, Chronique sociale.

BROCH, M.H. et F. CROS (1992). *Évaluer le projet de notre organisation. Réflexions, méthodes et techniques.* Lyon, Chronique sociale.

BROCH, M.H. (1996). *Travailler en équipe à un projet pédagogique.* Lyon, Chronique sociale.

COMMISSION D'AMÉLIORATION DE L'ÉDUCATION (2000). *Planification de l'amélioration des écoles*, Ontario, Gouvernement de l'Ontario.

COMMISSION DE L'ÉDUCATION. *Journal des débats*, mardi 10 décembre 2002, [Québec], [En ligne], Assemblée nationale. [www.assnat.qc.ca/fra/Publications/debats/epreuves/ce/021210/1100.htm] (11 h)

COMMISSION DE L'ÉVALUATION DE L'ENSEIGNEMENT COLLÉGIAL (1994). *L'évaluation institutionnelle, cadre de référence*, Québec, Gouvernement du Québec.

CONSEIL SUPÉRIEUR DE L'ÉDUCATION (1999). *L'évaluation institutionnelle en éducation : une dynamique propice au développement*, rapport annuel 1998-1999 sur l'état des besoins en éducation, 137 p.

CONSEIL SUPÉRIEUR DE L'ÉDUCATION (1992). *La gestion de l'éducation : nécessité d'un autre modèle*, Rapport annuel 1991-1992 sur l'état des besoins en éducation, Québec, Bibliothèque nationale du Québec.

DELORS, J. (prés.) (1996). *L'éducation, un trésor est caché dedans*, rapport à l'UNESCO de la Commission internationale sur l'éducation pour le vingt et unième siècle. Paris, Odile Jacob.

DEMAILLY, L. (2002). « L'obligation de résultats : une obligation (profession-nalisante) (regard d'ailleurs), propos recueillis par Monique Boucher, *Vie pédagogique*, n° 125 (novembre-décembre 2002), Sainte-Foy, p. 28-32.

DESBIENS, Danielle et Pierre COMTOIS (1998). Université du Québec à Montréal. « La formation au leadership : un paradoxe », extrait de *Leadership et pouvoir équipes et groupes, gestion des paradoxes dans les organisations*, tome 4, Actes du 9ᵉ congrès de l'AIPTLF, Cap-Rouge, Presses Inter Universitaires ; Casablanca, Éditions 2 continents ; Lausanne, Lena, p. 7-14.

DEVELAY, M. (1996). *Donner du sens à l'école.* Paris, ESF éditeur.

DISCAS (2002). *Concepts-clés en développement institutionnel*, [En ligne], [http//discas.ca/documents].

FÉDÉRATION DES COMMISSIONS SCOLAIRES DU QUÉBEC (2002). *L'importance des indicateurs en évaluation en vue de la reddition de comptes*, mars 2002, 62 p.

FÉDÉRATION DES CADRES SCOLAIRES DU QUÉBEC (2002). *Pour une politique d'évaluation et de reddition de comptes en milieu scolaire*, cité par Nicole Tardif et Joanne Munn dans leurs documents, Cadre de référence F.C.S.Q., août 2002, p. 21-28.

FÉDÉRATION QUÉBÉCOISE DES DIRECTEURS ET DIRECTRICES D'ÉTABLISSEMENT D'ENSEIGNEMENT (1999). *Évaluation institutionnelle.*

GATHER-THURLER, M. (2000). *Innover au cœur de l'établissement scolaire*, Issy-les-Moulineaux, Éditions ESF.

GAUDREAU, Louise (2001). *Évaluer pour évoluer : les étapes d'une évaluation de programme ou de projet*, Montréal, Éditions Logiques, 103 p.

GAUDREAU, Louise (2001). *Évaluer pour évoluer : les indicateurs et les critères*, Montréal, Éditions Logiques, 71 p.

GOUVERNEMENT DU QUÉBEC (1999). *Pour de meilleurs services aux citoyens, Un nouveau cadre de gestion pour la fonction publique*, Énoncé de politique sur la gestion gouvernementale.

GRAVEL, Michel (1999). *L'évaluation institutionnelle : proposition d'une démarche ; conférence pour les responsables des services éducatifs des régions Chaudière-Appalaches et de Québec*, Chicoutimi, UQAC.

GRAVEL, Michel (2001). *L'évaluation institutionnelle*, Guérin éditeur.

HENRY, Jacques. « Obligation pour qui ? Résultats de quoi ? » *Vie pédagogique* n° 125 (novembre-décembre 2002), Sainte-Foy, p. 24-27.

HUBER, M. (1999). *Apprendre en projet. La pédagogie du projet-élèves.* Lyon, Chronique Sociale.

INSTITUT CANADIEN (2002). *L'évaluation de la performance et la reddition de comptes en éducation.* Conférence donnée par Johanne Munn de la Société GRICS, Louise Simon et Nicole Tardif de l'Université de Sherbrooke.

JANOSZ, M., P. GEORGES et S. PARENT. « L'environnement socioéducatif à l'école secondaire : un modèle théorique pour guider l'évaluation du milieu », *Revue canadienne de psycho-éducation*, vol. 27, 1998, p. 285-306.

KOFFI, V., P. LAURIN et A. MOREAU (1998). *Quand l'école se prend en main*, Sainte-Foy, Presses de l'Université du Québec.

LAFLAMME, Roch (1998). « Mobilisation ou manipulation ? » extrait de *Mobilisation et efficacité au travail, Gestion des paradoxes dans les organisations*, tome 6, Actes du 9e congrès de l'AIPTLF, Cap-Rouge, Presses Inter Universitaires ; Casablanca, Éditions 2 continents ; Lausanne, Lena, p. 87-96.

LAFONTAINE, L.L. et autres. *Session de formation sur les plans de réussite pour les directions d'établissement scolaire*, document de travail, Université de Sherbrooke, s.d.

LANGLOIS, L. et C. LAPOINTE (dir.) (2002). *Le leadership en éducation. Plusieurs regards, une même passion*, Montréal, Chenelière/McGraw-Hill, 151 p.

LANGLOIS, Lyse et Jean PLANTE (2002). *La gestion par résultats appliquée au monde de l'éducation, Leader plus efficient* (LPE), Université Laval.

LANGLOIS, Lyse et Jean PLANTE (2002). *L'établissement scolaire, son projet éducatif et son plan de réussite*, Université Laval.

LANGLOIS, Lyse et Jean PLANTE (2002). *L'observation dans le processus de prise de décisions : observer quoi et comment, Leader plus efficient* (LPE), Université Laval.

LECLERC, Jean (2001). *Gérer autrement l'administration publique. La gestion par résultats*, Montréal, Presses de l'Université du Québec, 373 p.

LEGENDRE, Renald (1993). *Dictionnaire actuel de l'éducation*, 2e édition, Montréal, Guérin.

LEMIÈRE, V. (1997). *Apprendre et réussir ensemble. Construire une communauté éducative.* Lyon, Chronique sociale.

LESSARD, Claude. « L'obligation de résultats, de moyens ou de compétences : l'affaire de tout le monde ou l'affaire de chacun ? », *Vie pédagogique* n° 125 (novembre-décembre 2002), Sainte-Foy, p. 17-23.

MASSÉ, Denis (1993). *L'évaluation institutionnelle en milieu scolaire : logiques, enjeux, rôles et responsabilités des différents acteurs*, collectif sous la responsabilité de Denis Massé, Sherbrooke, Éditions du CRP.

MINISTÈRE DE L'ÉDUCATION (2001). DIRECTION DE L'ADAPTATION SCOLAIRE ET DES SERVICES COMPLÉMENTAIRES. *Protocole d'évaluation de l'application de la politique de l'adaptation scolaire*, projet, document de travail.

MINISTÈRE DE L'ÉDUCATION (2002). *Document de consultation sur les indicateurs nationaux*, document accompagnant la lettre du sous-ministre André Vézina aux commissions scolaires le 7 juin 2002, Québec, Gouvernement du Québec.

MINISTÈRE DE L'ÉDUCATION (2000). *Le plan de réussite*, dépliant d'information n° 49-1500, Québec, Gouvernement du Québec.

MINISTÈRE DE L'ÉDUCATION (2001). *Programme de formation de l'école québécoise : éducation préscolaire, enseignement primaire*, Québec, Gouvernement du Québec.

MINISTÈRE DE L'ÉDUCATION (2001). *Programme de formation de l'école québécoise : enseignement secondaire*, 1er cycle, document de travail aux fins de validation, Québec, Gouvernement du Québec.

MINISTÈRE DE L'ÉDUCATION (2001). *Raisons d'être et fondements de la politique gouvernementale (éducation des adultes et formation continue)*, Québec, Gouvernement du Québec.

MINISTÈRE DE L'ÉDUCATION. *Règlement modifiant le régime pédagogique de l'éducation préscolaire, de l'enseignement primaire et de l'enseignement secondaire*, Québec, Gouvernement du Québec. [En ligne] s.d. [www.meq.gouv.qc.ca/legislat/regime_ped/epps.pdf].

MINISTÈRE DE L'ÉDUCATION (1996). Direction régionale de la Montérégie. *Jalons d'une école pour tous*, Québec, Gouvernement du Québec.

MINISTÈRE DE L'ÉDUCATION (2003). *Plan stratégique 2000-2003*, Québec, Gouvernement du Québec, mars 2000, 45 p.

MINISTÈRE DE L'ÉDUCATION (2002). *Plan stratégique (1999-2002)*, Québec, Gouvernement du Québec.

MINISTÈRE DE L'ÉDUCATION (2000). *Plan stratégique (2000-2003)*, Québec, Gouvernement du Québec.

MINISTÈRE DE L'ÉDUCATION (2000). *Documentation relative à l'opération « plans de réussite »*, Québec, Gouvernement du Québec.

OFFICE DE LA LANGUE FRANÇAISE. *Le grand dictionnaire terminologique*, [En ligne], 2002. [www.granddictionnaire.com/_fs_global_01.htm]

PELLETIER, G. (dir.) (1998). *L'évaluation institutionnelle de l'éducation : défi, ouverture et impasse*. Montréal, Éditions de l'AFIDES.

PELLETIER, G. (dir.) (2001). *Autonomie et décentralisation en éducation : entre projet et évaluation*, Montréal, Éditions de l'AFIDES.

PERRENOUD, P. (2004). « L'établissement scolaire entre mandat et projet : vers une autonomie relative », dans *Autonomie et décentralisation en éducation : entre projet et évaluation*, collectif sous la direction de Guy Pelletier, Montréal, Éditions de l'AFIDES, p. 39-66.

PLANTE, J. C. et J. P. RATHÉ (2002). *Lecture de la Loi sur l'instruction publique ; pour les partenaires au Conseil d'établissement*, Secteur des jeunes, Les animations JCPR.

RAYNAL, Françoise et Alain RIEUNIER (1997). *Pédagogie : dictionnaire des concepts clés*, Paris, ESF éditeur, 420 p.

SECRÉTARIAT DU CONSEIL DU TRÉSOR. *Guide sur la gestion axée sur les résultats*, [Québec], Gouvernement du Québec, 2002.

SECRÉTARIAT DU CONSEIL DU TRÉSOR. *Guide sur les indicateurs*, [Québec], Gouvernement du Québec, 2003.

SENGE, Peter et Alain GAUTHIER (1990). *La cinquième discipline*, Paris, Éditions First, 462 p.

SIMON, L. *Le projet éducatif : une démarche dynamique porteuse de vision et de vie*, cité par Nicole Tardif et Johanne Munn dans leurs documents produits en collaboration (cf. infra, nᵒ 43).

ST-ARNAUD, Y. (1996). *S'actualiser par des choix éclairés et une action efficace.* Montréal, Gaëtan Morin éditeur, 108 p.

ST-ARNAUD, Y. (2002). *Les petits groupes. Participation et communication.* Montréal, Gaëtan Morin éditeur, 182 p.

TARDIF, J. (1999). *Le transfert des apprentissages.* Montréal, Éditions Logiques, 228 p.

TARDIF, J. (1992). *Pour un enseignement stratégique. L'apport de la psychologie cognitive.* Montréal, Éditions Logiques, 476 p.

TARDIF, N. et L. Simon (2002). *Projet éducatif et plan de réussite : développer et implanter un cadre d'imputabilité et de responsabilisation en éducation.* Document de référence et cahier de travail, Université de Sherbrooke, 221 p.

VAN DE LEEMPUT, C., P. SALENGROS et L. BOOGAERTS (1998). Université Libre de Bruxelles. « La formation au leadership : un paradoxe », extrait de *Leadership et pouvoir équipes et groupes, Gestion des paradoxes dans les organisations*, tome 4, Actes du 9ᵉ congrès de l'AIPTLF, Cap-Rouge, Presses Inter Universitaires ; Casablanca, Éditions 2 continents ; Lausanne, Lena, p. 33-41.

VOYER, Pierre (2000). *Tableaux de bord de gestion et indicateurs de performance*, Sainte-Foy, Presses de l'Université du Québec, 446 p.

WILLIAMS, James (2002). *Professional Leadership in Schools*, Londres (R.-U.), Kogan Page ; Sterling (États-Unis), Stylus Publishing, 1666 p.

WILS, T., C. LABELLE, G. GUÉRIN et M. TREMBLAY (1998). *Qu'est-ce que la mobilisation des employés ? Le point de vue des professionnels en ressources humaines*, Document de recherche 98-1, Département de relations industrielles, Université du Québec à Hull, 28 p.

Annexe

La Loi sur l'instruction publique (L.I.P.)

Articles portant sur le projet éducatif, le plan de réussite
et la reddition de comptes des écoles et des centres

Chapitre III.
École

Article 36

Rôle de l'école

L'école est un établissement d'enseignement destiné à dispenser aux personnes visées à l'article 1 les services éducatifs prévus par la présente loi et le régime pédagogique établi par le gouvernement en vertu de l'article 447 et à collaborer au développement social et culturel de la communauté. Elle doit, notamment, faciliter le cheminement spirituel de l'élève afin de favoriser son épanouissement.

Mission

Elle a pour mission, dans le respect du principe de l'égalité des chances, d'instruire, de socialiser et de qualifier les élèves, tout en les rendant aptes à entreprendre et à réussir un parcours scolaire.

Elle réalise cette mission dans le cadre d'un projet éducatif mis en œuvre par un plan de réussite.

Projet éducatif

36.1 Le projet éducatif est élaboré, réalisé et évalué périodiquement avec la participation des élèves, des parents, du directeur de l'école, des enseignants, des autres membres du personnel de l'école, des représentants de la communauté et de la commission scolaire.

Article 37

Orientations et objectifs

Le projet éducatif de l'école contient les orientations propres à l'école et les objectifs pour améliorer la réussite des élèves. Il peut inclure les actions pour valoriser ces orientations et les intégrer dans la vie de l'école.

Visée

Ces orientations et ces objectifs visent l'application, l'adaptation et l'enrichissement du cadre national défini par la loi, le régime pédagogique et les programmes d'études établis par le ministre.

Liberté de conscience

Le projet éducatif de l'école doit respecter la liberté de conscience et de religion des élèves, des parents et des membres du personnel de l'école.

Contenu du plan de réussite

37.1   Le plan de réussite de l'école comporte :

1.   les moyens à prendre en fonction des orientations et des objectifs du projet éducatif notamment les modalités relatives à l'encadrement des élèves ;

2.   les modes d'évaluation de la réalisation du plan de réussite.

Révision et actualisation

Le plan de réussite est révisé annuellement et, le cas échéant, il est actualisé.

Article 74

Responsabilités

Le conseil d'établissement analyse la situation de l'école, principalement les besoins des élèves, les enjeux liés à la réussite des élèves ainsi que les caractéristiques et les attentes de la communauté qu'elle dessert. Sur la base de cette analyse et du plan stratégique de la commission scolaire, il adopte le projet éducatif de l'école, voit à sa réalisation et procède à son évaluation périodique.

Participation

Pour l'exercice de ces fonctions, le conseil d'établissement s'assure de la participation des personnes intéressées par l'école.

Méthode

À cette fin, il favorise l'information, les échanges et la concertation entre les élèves, les parents, le directeur de l'école, les enseignants, les autres membres du personnel de l'école et les représentants de la communauté, ainsi que leur participation à la réussite des élèves.

Plan de réussite et rôle du conseil d'établissement

Article 75

Le conseil d'établissement approuve le plan de réussite de l'école et son actualisation proposés par le directeur de l'école.

Reddition de comptes

Article 83

Le conseil d'établissement informe annuellement les parents ainsi que la communauté que dessert l'école des services qu'elle offre et leur rend compte de leur qualité.

Diffusion du projet éducatif et du plan de réussite

Il rend publics le projet éducatif et le plan de réussite de l'école.

Évaluation du plan de réussite

Il rend compte annuellement de l'évaluation de la réalisation du plan de réussite.

Un document expliquant le projet éducatif et faisant état de l'évaluation de la réalisation du plan de réussite est distribué aux parents et aux membres du personnel de l'école. Le conseil d'établissement veille à ce que ce document soit rédigé de manière claire et accessible.

Article 96

Rôle de l'organisme de participation des parents

96.2 L'organisme de participation des parents a pour fonction de promouvoir la collaboration des parents à l'élaboration, à la réalisation et à l'évaluation périodique du projet éducatif de l'école ainsi que leur participation à la réussite de leur enfant.

Rôle du comité des élèves

96.6 Le comité des élèves a pour fonction de promouvoir la collaboration des élèves à l'élaboration, à la réalisation et à l'évaluation périodique du projet éducatif de l'école ainsi que leur participation à leur réussite et aux activités de l'école.

Il peut en outre faire aux élèves du conseil d'établissement et au directeur de l'école toute suggestion propre à faciliter la bonne marche de l'école.

Rôle du directeur d'école

96.13 Le directeur de l'école assiste le conseil d'établissement dans l'exercice de ses fonctions et pouvoirs et, à cette fin :

1. il coordonne l'analyse de la situation de l'école de même que l'élaboration, la réalisation et l'évaluation périodique du projet éducatif de l'école ;

1.1 il coordonne l'élaboration, la révision et, le cas échéant, l'actualisation du plan de réussite de l'école ;

2. il s'assure de l'élaboration des propositions visées dans le présent chapitre qu'il doit soumettre à l'approbation du conseil d'établissement ;

2.1 il s'assure que le conseil d'établissement reçoit les informations nécessaires avant d'approuver les propositions visées dans le présent chapitre ;

[...]

Chapitre IV.
Centre de formation professionnelle
et centre d'éducation des adultes

Article 97

Responsabilités

Le centre de formation professionnelle est un établissement d'enseignement destiné à dispenser les services éducatifs prévus par le régime pédagogique applicable à la formation professionnelle établi par le gouvernement en vertu de l'article 448.

Le centre d'éducation des adultes est un établissement d'enseignement destiné à dispenser aux personnes visées à l'article 2 les services éducatifs prévus par le régime pédagogique applicable aux services éducatifs pour les adultes établi par le gouvernement en vertu de l'article 448.

Orientations et plans de réussite

Les centres réalisent leur mission dans le cadre des orientations et des objectifs déterminés en application de l'article 109 et mis en œuvre par un plan de réussite.

Contenu du plan de réussite

97.1   Le plan de réussite du centre comporte :

1°   les moyens à prendre en fonction des orientations et des objectifs déterminés en application de l'article 109 ;

2°   les modes d'évaluation de la réalisation du plan de réussite.

Révision et actualisation

Le plan de réussite est révisé annuellement et, le cas échéant, il est actualisé.

Orientations du centre

Article 109

Le conseil d'établissement analyse la situation du centre, principalement les besoins des élèves, les enjeux liés à la réussite des élèves ainsi que les caractéristiques et les attentes du milieu qu'il dessert. Sur la base de cette analyse et du plan stratégique de la commission scolaire, il détermine les orientations propres au centre et les objectifs pour améliorer la réussite des élèves, voit à leur réalisation et procède à leur évaluation périodique. Le conseil d'établissement peut également déterminer des actions pour valoriser ces orientations et les intégrer dans la vie du centre.

Participation

Pour l'exercice de ces fonctions, le conseil d'établissement s'assure de la participation des personnes intéressées par le centre.

Approbation

109.1 Le conseil d'établissement approuve le plan de réussite du centre et son actualisation proposés par le directeur du centre.

Élaboration

Ces propositions sont élaborées avec la participation des membres du personnel du centre.

Modalités

Les modalités de cette participation sont celles établies par les personnes intéressées lors d'assemblées générales convoquées par le directeur du centre ou, à défaut, celles établies par ce dernier.

Reddition de comptes

110.3.1 Le conseil d'établissement informe annuellement le milieu que dessert le centre des services qu'il offre et lui rend compte de leur qualité.

Diffusion du projet éducatif et du plan de réussite

Il rend publics les orientations, les objectifs et le plan de réussite du centre.

Évaluation du plan de réussite

Il rend compte annuellement de l'évaluation de la réalisation du plan de réussite.

Un document expliquant les orientations et les objectifs du centre et faisant état de l'évaluation de la réalisation du plan de réussite est distribué aux élèves et aux membres du personnel du centre. Le conseil d'établissement veille à ce que ce document soit rédigé de manière claire et accessible.

Rôle du directeur d'école

110.10 Le directeur du centre assiste le conseil d'établissement dans l'exercice de ses fonctions et pouvoirs et, à cette fin :

1° il coordonne l'analyse de la situation du centre de même que l'élaboration, la réalisation et l'évaluation périodique des orientations et des objectifs du centre ;

1.1° il coordonne l'élaboration, la révision et, le cas échéant, l'actualisation du plan de réussite du centre ;

2° il s'assure de l'élaboration des propositions visées dans le présent chapitre qu'il doit soumettre à l'approbation du conseil d'établissement ;

2.1° il s'assure que le conseil d'établissement reçoit les informations nécessaires avant d'approuver les propositions visées dans le présent chapitre.

ANNEXE B

Mécanismes de communication inscrits dans la Loi sur l'instruction publique (L.I.P.)

Rôles et pouvoirs de la direction d'établissement,
du conseil d'établissement et de la commission scolaire

		INSTANCES		
		Direction d'établissement	**Conseil d'établissement**	**Commission scolaire**
MÉCANISMES DE COMMUNICATION	**Information**	❏ Il informe régulièrement le conseil d'établissement des propositions qu'il approuve en vertu de l'article 96.15 (art. 96.13) ❏ Le directeur voit à la réalisation et à l'évaluation périodique du plan d'intervention et en informe régulièrement les parents. Art. 96.14	❏ Le conseil d'établissement informe annuellement les parents ainsi que la communauté que dessert l'école des services qu'elle offre et leur rend compte de leur qualité. Art. 83 ❏ Le conseil d'établissement informe annuellement le milieu que dessert le centre des services qu'il offre et lui rend compte de leur qualité. Art. 110.3.1	❏ La commission scolaire informe la population de son territoire des services éducatifs et culturels qu'elle offre et lui rend compte de leur qualité. Art. 220
	Rapport annuel		❏ Le conseil d'établissement prépare et adopte un rapport annuel contenant un bilan de ses activités et en transmet une copie à la commission scolaire. Art. 82	❏ La commission scolaire prépare un rapport annuel qui rend compte à la population de son territoire de la réalisation de son plan stratégique. ❏ Ce rapport rend compte également au ministre des résultats obtenus en fonction des orientations et des objectifs du plan stratégique établi par le ministère de l'Éducation. Art. 220
	Reddition de comptes	❏ Le directeur de l'école gère les ressources matérielles de l'école en appliquant, le cas échéant, les normes et décisions de la commission scolaire ; il en rend compte à la commission scolaire. Art. 96.23 ❏ Le directeur de l'école prépare le budget annuel de l'école, le soumet au conseil d'établissement pour adoption, en assure l'administration et en rend compte au conseil d'établissement. Art. 96.24	❏ Le conseil d'établissement informe annuellement les parents ainsi que la communauté que dessert l'école des services qu'elle offre et leur rend compte de leur qualité. Art. 83 ❏ Le conseil d'établissement informe annuellement le milieu que dessert le centre des services qu'il offre et lui rend compte de leur qualité. Art. 110.3.1 ❏ Il rend compte annuellement de l'évaluation de la réalisation du plan de réussite. Art. 83	❏ Elle informe la population de son territoire des services éducatifs et culturels qu'elle offre et lui rend compte de leur qualité, de l'administration de ses écoles et de ses centres et de l'utilisation de ses ressources. Art. 220
	Contrôle de légalité	❏ Sous l'autorité du directeur général de la commission scolaire, le directeur de l'école s'assure de la qualité des services éducatifs dispensés à l'école. Art. 96.12 ❏ Sous l'autorité du directeur général de la commission scolaire, le directeur du centre s'assure de la qualité des services dispensés au centre. Art. 110.9	❏ Il rend compte annuellement de l'évaluation de la réalisation du plan de réussite. Art. 110.3.1 ❏ [...] le conseil d'établissement s'assure de la participation des personnes intéressées par l'école. Art. 74, 2ᵉ paragraphe.	❏ La commission scolaire s'assure, dans le respect des fonctions et pouvoirs dévolus à l'école, que chaque école s'est dotée d'un projet éducatif mis en œuvre par un plan de réussite. Art. 221.1 ❏ La commission scolaire s'assure, dans le respect des fonctions et pouvoirs dévolus au centre, que chaque centre s'est doté d'orientations et d'objectifs mis en œuvre par un plan de réussite. Art. 245.1 ❏ La commission scolaire favorise la mise en œuvre, par le plan de réussite, du projet éducatif de chaque école et des orientations et des objectifs de chaque centre. Art. 218
	Rendre compte de la qualité	❏ Sous l'autorité du directeur général de la commission scolaire, le directeur de l'école s'assure de la qualité des services éducatifs dispensés à l'école. Art. 96.12 ❏ Sous l'autorité du directeur général de la commission scolaire, le directeur du centre s'assure de la qualité des services dispensés au centre. Art. 110.9	❏ Le conseil d'établissement informe annuellement les parents ainsi que la communauté que dessert l'école des services qu'elle offre et leur rend compte de leur qualité. Art. 83	❏ La commission scolaire informe la population de son territoire des services éducatifs et culturels qu'elle offre et lui rend compte de leur qualité. Art. 220

Notes

[1]   Pierre Voyer (1999). *Tableaux de bord de gestion et indicateurs de performance*, 2e édition, Presses de l'Université du Québec, Saint-Nicolas, p. 39.

[2]   Renald Legendre (1993). *Dictionnaire actuel de l'éducation*, Montréal, Guérin éditeur, 2e édition, p. 1205.

[3]   Il s'agit d'un élève fréquentant un établissement scolaire offrant le deuxième cycle au secondaire ou un centre. (articles 96.5 et 96.6).

[4]   Généralement un enseignant qui représente son équipe-cycle, au primaire, ou son unité, au secondaire.

[5]   Conseil d'établissement, CPEE, OPP, conseil d'élèves.

[6]   Bertrand et autres (1988). *Le projet éducatif centré sur les valeurs*, Québec, MEQ.

[7]   Centrale de l'enseignement du Québec (CEQ), (1991). *Le projet éducatif, guide d'application*.

[8]   Conseil supérieur de l'éducation (CSE), (1978). *L'esquive, l'école et les valeurs*, Québec.

[9]   Fédération des comités de parents de la province de Québec (FCPPQ), (1991). *Projet éducatif de l'école. Guide de participation à l'intention des parents du conseil d'orientation et du comité d'école*, Québec.

[10] *Ibid.*

[11] *Ibid.*

[12] R. Tessier et Y. Tellier (1973). *Changement planifié et développement des organisations. Théorie et pratique.* Montréal et Paris, IFG et EPI.

[13] Conseil supérieur de l'éducation (1987). *Rapport 1986-1987 sur l'état et les besoins de l'éducation. La qualité de l'éducation : un enjeu pour chaque établissement*, Québec.

[14] Gouvernement du Québec. *Loi sur l'instruction publique*, art. 37, 1er et 2e par., 2002.

[15] Gouvernement du Québec. Plan d'action ministériel pour la réforme de l'éducation. *Prendre le virage du succès*,1996, p. 1.

[16] Gouvernement du Québec. *Les conditions de la réussite scolaire au secondaire. Rapport final et recommandations*, Assemblée nationale, Commission de l'éducation, décembre 1996, p. 7.

[17] Gouvernement du Québec. Ministère de l'Éducation. *Protocole d'évaluation de l'application de la politique de l'adaptation scolaire*, document de travail, Direction de l'adaptation scolaire et des services complémentaires, 2001.

[18] Gouvernement du Québec. Ministère de l'Éducation. *Programme de formation de l'école québécoise – Enseignement secondaire, premier cycle*, version approuvée, août 2003, p. 13-14.

[19] *L'école, tout un programme*, Énoncé de politique éducative, 1997, p. 9.

[20] Source inconnue.

[21] Voir la définition de Tableau de bord, page 107.

[22] Aux priorités stratégiques, nous ajoutons ici les forces et les préoccupations de l'établissement.

[23] 1 : pouvoir d'action élevé ; 2 : pouvoir d'action restreint ; 3 : pouvoir d'action nul.

[24] Ressources humaines, matérielles et financières.

[25] L'EFFICIENCE est la mesure du rapport entre les biens produits ou les services livrés et les ressources utilisées. Ce rapport est établi en fonction du niveau de services requis (qualité des services).

(Secrétariat du Conseil du trésor, *Guide sur la gestion axée sur les résultats*, 2002. p. 27.)

L'efficience est considérée ici si les ressources ont déjà été mises en place et évaluées dans une activité précédente.

[26] Propos recueillis par Guy Lusignan. « Réflexion sur l'avenir des enfants ». Jacques Grand'Maison dans *Vie pédagogique*, n° 126, février-mars 2003, p. 19.

[27] Philippe Perrenoud (2004). « L'établissement scolaire entre mandat et projet : vers une autonomie relative », dans *Autonomie et décentralisation en éducation : entre projet et évaluation*, collectif sous la direction de Guy Pelletier, Montréal, Éditions de l'AFIDES, p. 60-61.

[28] N. Tardif et L. Simon, (2002). *Projet éducatif et plan de réussite : développer et implanter un cadre d'imputabilité et de responsabilisation en éducation.* Document de référence et cahier de travail. Université de Sherbrooke, p. 160.

[29] Les axes d'intervention précisent les orientations en situant le domaine ou le secteur prioritaire d'intervention afin de parvenir à l'atteinte des objectifs (article 209.1, 4°).

[30] Notamment les domaines généraux de formation, les compétences disciplinaires (issues des domaines d'apprentissage) et les compétences transversales.

[31] Gouvernement du Québec. Ministère de l'Éducation. *Programme de formation de l'école québécoise, enseignement secondaire*, 2003, p. 22.

[32] Groupe de Soutien Régional aux Plans de réussite (GSRPR04-17) (2003). *La gestion axée sur les résultats*, Direction régionale de la Mauricie et du Centre-du-Québec.

[33] Il s'agit de l'application, l'adaptation et l'enrichissement du cadre national défini par la Loi sur l'instruction publique (article 37), les régimes pédagogiques et les programmes d'études établis par le ministre.

[34] Exemple tiré du programme de formation de l'enseignement primaire, p. 45.

[35] Cette liste est une adaptation d'exemples tirés du site Internet de la Commission scolaire Marguerite-Bourgeoys : www.csmb.qc.ca

[36] Document d'orientation. *La planification stratégique des commissions scolaires et les plans de réussite des établissements au primaire et au secondaire 2003-2006*, 26 mars 2002.

[37] Pierre Voyer, (2000). *Tableaux de bord de gestion et indicateurs de performance*, Sainte-Foy, Presses de l'Université du Québec, p. 219.

[38] Gouvernement du Québec. Secrétariat du Conseil du trésor. *Guide sur les indicateurs*, 2003, p. 10.

[39] Gouvernement du Québec. Secrétariat du Conseil du trésor. *Guide sur les indicateurs*, 2003, p. 11.

[40] *Ibid.*

[41] *Ibid.*

[42] Cette liste est une adaptation d'exemples tirés du site Internet de la Commission scolaire Marguerite-Bourgeoys : www.csmb.qc.ca

[43] Gouvernement du Québec. Secrétariat du Conseil du trésor. *Guide sur les indicateurs*, 2003, p. 11.

[44] Fédération des commissions scolaires du Québec. *L'importance des indicateurs en évaluation en vue de la reddition de comptes*, mars 2002, p. 6.

[45] N. Tardif et L. Simon, (2002). *Projet éducatif et plan de réussite : développer et implanter un cadre d'imputabilité et de responsabilisation en éducation*. Document de référence et cahier de travail. Université de Sherbrooke, p. 139.

[46] Gouvernement du Québec. Ministère de l'Éducation. *Indicateurs nationaux des commissions scolaires et données par établissement*, document préparé par Luc Beauchesne, Direction de la recherche, des statistiques et des indicateurs, août 2003, 14 p.

[47] Répertoire d'indicateurs : www.reussite.qc.ca

[48] N. Tardif et L. Simon, (2002). *Projet éducatif et plan de réussite : développer et implanter un cadre d'imputabilité et de responsabilisation en éducation*. Document de référence et cahier de travail. Université de Sherbrooke, p. 139.

[49] *Ibid.*, p. 143.

[50] Louise Gaudreau (2000). *Évaluer pour évoluer. Les indicateurs et les critères*, Montréal, Éditions Logiques, p. 20.

[51] Gouvernement du Québec. Ministère de l'Éducation. *Indicateurs nationaux des commissions scolaires et données par établissement*, document préparé par Luc Beauchesne, Direction de la recherche, des statistiques et des indicateurs, août 2003, p. 10.

[52] *Ibid.*, p. 14

[53] Louise Gaudreau (2000). *Évaluer pour évoluer. Les indicateurs et les critères*, Montréal, Éditions Logiques, p. 20.

[54] Gouvernement du Québec. Conseil supérieur de l'éducation. *L'évaluation institutionnelle en éducation : une dynamique propice au développement*, Rapport annuel 1998-1999 sur l'état et les besoins en éducation, 1999, p. 53.

[55] Gouvernement du Québec. Secrétariat du Conseil du trésor. *Guide sur les indicateurs*, Québec, 2003, p. 11.

[56] Fédération des commissions scolaires du Québec (FCSQ). *La planification stratégique des commissions scolaires et les plans de réussite des établissements au primaire et au secondaire, 2003-2006*, Document d'orientation, 26 mars 2002.

[57] Adaptation de Louise Gaudreau (2000). *Évaluer pour évoluer. Les indicateurs et les critères*, Montréal, Éditions Logiques, p. 22.

[58] Gouvernement du Québec. Ministère de l'Éducation, *Plan stratégique 2000-2003*, mars 2000, p. 31.

[59] *Ibid.*

[60] Fédération des commissions scolaires du Québec (FCSQ). *La planification stratégique des commissions scolaires et les plans de réussite des établissements au primaire et au secondaire 2003-2006*, Document d'orientation, 26 mars 2002.

[61] N. Tardif et L. Simon, (2002). *Projet éducatif et plan de réussite : développer et implanter un cadre d'imputabilité et de responsabilisation en éducation*. Document de référence et cahier de travail. Université de Sherbrooke, p. 139.

[62] Québec. Secrétariat du Conseil du trésor. *Guide sur les indicateurs*, Québec, Gouvernement du Québec, 2003, p. 22.

[63] Louise Gaudreau (2000). *Évaluer pour évoluer. Les indicateurs et les critères*, Montréal, Éditions Logiques, p. 40.

64 Le même texte est aussi connu sous deux autres titres : *Le plan de réussite pour une école secondaire* et *Le plan de réussite pour un centre d'éducation des adultes.*

65 Activité : action menée et travail accompli pour produire un résultat. On nomme « processus » un ensemble d'activités qui concourent à la réalisation d'un produit et d'un service, et pour lequel des « ressources » sont utilisées. N. Tardif et L. Simon. (2002). *Projet éducatif et plan de réussite : développer et implanter un cadre d'imputabilité et de responsabilisation en éducation.* Document de référence et cahier de travail. Université de Sherbrooke, p. 140.

66 Conseil supérieur de l'éducation (CSE). Avis du ministre de l'Éducation, version abrégée, janvier 2004, p. 4.

67 *Idem*, p. 5.

68 Gouvernement du Québec. Secrétariat du Conseil du trésor. *Guide sur les indicateurs*, 2003, p. 20.

69 Groupe de Soutien Régional aux Plans de Réussite (GSRPR 04-17). *La gestion axée sur les résultats appliquée au monde de l'éducation*, diaporama, septembre 2003, p. 14.

70 Adapté de Gouvernement du Québec. Secrétariat du Conseil du trésor. *Guide sur la gestion axée sur les résultats*, 2002, p. 16.

71 Gouvernement du Québec. Secrétariat du Conseil du trésor. *Guide sur les indicateurs*, 2003, p 35.

72 Pierre Collerette et Robert Schneider (2002). *Le pilotage du changement, une approche stratégique et pratique*, Ste-Foy, Presses de l'Université du Québec, p. 256-257.

73 *Idem.*

74 Gouvernement du Québec. Secrétariat du Conseil du trésor. *Guide sur la gestion axée sur les résultats*, 2002, p. 27.

75 *Idem.*

76 *Idem.*

77 Louise Gaudreau (2001). *Évaluer pour évoluer : les indicateurs et les critères*, Montréal, Éditions Logiques, p. 26.

78 *Ibid.*

79 Notamment les domaines généraux de formation et les domaines d'apprentissage.

80 Site Internet : www.reussite.qc.ca

81 Rappelons que dans les centres on ne parle pas de projet éducatif, mais bien d'orientations.

82 *Idem.*

83 Cet indicateur ne s'adresse pas à l'éducation des adultes.

84 Conseil supérieur de l'éducation. *L'évaluation institutionnelle en éducation : une dynamique propice au développement*, rapport annuel 1998-1999, p. 24.

85 Gilbert De Landsheere (1974). « L'évaluation dans le domaine de l'éducation : tendances », *L'orientation scolaire et professionnelle*, vol. 23, n° 1.

86 Bureau du vérificateur général du Canada et Secrétariat du Conseil du trésor, *La reddition de comptes dans le secteur public : vers une modernisation*, document de travail, 6 janvier 1998, p. 5-6.

87 Secrétariat du Conseil du trésor, *Guide sur la gestion axée sur les résultats*, 2002, p. 27.

88 *Ibid.*

89 Gouvernement du Québec, ministère de l'Éducation, *Éléments de docimologie* : lexique, Fascicule 2, 1985.

90 Secrétariat du Conseil du trésor, *Guide sur la gestion axée sur les résultats*, 2002, p. 27.

91 F.C.S.Q. *Pour une politique d'évaluation et de reddition de comptes en milieu scolaire*, Cadre de référence, août 2001, p. 21-28.

92 *Ibid.*

93 Secrétariat du Conseil du trésor, *Guide sur la gestion axée sur les résultats*, 2002, p. 27.

94 Secrétariat du Conseil du trésor, *Guide sur la gestion axée sur les résultats*, 2002, p. 27.

95 Pierre Voyer. *Tableaux de bord de gestion et indicateurs de performance*, Sainte-Foy, Presses de l'Université du Québec, 2000, p. 218.

96 Rénald Legendre (1993). *Dictionnaire actuel de l'éducation*, 2e édition, Montréal, Guérin éditeur, p. 949.

97 Secrétariat du Conseil du trésor, *Guide sur la gestion axée sur les résultats*, 2002, p. 27.

98 Vérificateur général du Québec, 1999, p. 26.

99 Secrétariat du Conseil du trésor, *Guide sur la gestion axée sur les résultats*, 2002, p. 27.

100 N.Tardif et L. Simon (2002). *Projet éducatif et plan de réussite : développer et implanter un cadre d'imputabilité et de responsabilisation en éducation.* Document de référence et cahier de travail, Université de Sherbrooke, p. 140.

101 Pierre Voyer. *Tableaux de bord de gestion et indicateurs de performance*, Sainte-Foy, Presses de l'Université du Québec, 2000, p. 39.

102 F.C.S.Q. *Pour une politique d'évaluation et de reddition de comptes en milieu scolaire*, Cadre de référence, août 2001, p. 21-28.

Présentation des auteurs

Nicole Tardif est professeure agrégée à l'Université de Sherbrooke au Département de la gestion de l'éducation et de la formation. Ses cours portent principalement sur la gestion de la pédagogie : la réforme éducative, les approches pédagogiques, la pédagogie différenciée, l'évaluation des apprentissages, ainsi que le projet éducatif et le plan de réussite.

Danielle Larivière (Ph. D. en didactique du français) a enseigné au secondaire aux élèves de cheminements particuliers. Travaillant actuellement au Service des ressources éducatives de la Commission scolaire Marie-Victorin, elle accompagne principalement les équipes-écoles dans l'élaboration des projets éducatifs et des plans de réussite. De plus, ses intérêts portent sur l'évaluation, l'approche orientante et la mise en place des services complémentaires à l'élève dans l'esprit de la Réforme de l'éducation.

Michel Boyer (Ph. D. éducation) est professeur en gestion de l'éducation à la Faculté d'éducation de l'Université de Sherbrooke. Il se spécialise sur les questions de la mobilisation, du travail d'équipe et de son animation, du projet éducatif et de la gestion participative. Il a œuvré en tant que formateur, consultant et dirigeant dans des organisations sociocommunautaires, coopératives et institutionnelles. Il est plus particulièrement intervenu auprès d'actrices et d'acteurs d'établissements scolaires pour les soutenir dans l'élaboration et la mise en œuvre de projet éducatif.

Remerciements

Les auteurs remercient bien chaleureusement mesdames

Louise Simon,
Louise L. Lafontaine,
et Louise Royal

pour leur encouragement à poursuivre la rédaction de ce deuxième tome.

Ils tiennent à remercier également la Commission scolaire Marie-Victorin et ses équipes-écoles pour les avoir inspirés dans la démarche proposée.